LA CHAMBRE
DES MERVEILLES

JULIEN SANDREL

LA CHAMBRE
DES MERVEILLES

roman

CALMANN
LEVY

COUVERTURE
Conception graphique : Constance Clavel
Photographie : © stilllifephotographes / Getty Images

ISBN 978-2-7021-6289-7

À Mathilde.
À ma fille et à mon fils.

So, tell me something, Miss Thelma.
How is it you ain't got any kids ?
I mean God gets you something special,
I think you oughta pass it on.

Ridley SCOTT, *Thelma & Louise*

I
MON ROI

1

10 h 32

— Louis, c'est l'heure ! Allez, je ne le répète plus, s'il te plaît lève-toi et habille-toi, on va être à la bourre, il est déjà 9 h 20.

C'est à peu près comme ça qu'a commencé ce qui allait devenir la pire journée de toute mon existence. Je ne le savais pas encore, mais il y aurait un avant et un après ce samedi 7 janvier 2017, 10 h 32. Pour toujours il y aurait cet avant, cette minute précédente que je désirerais figer pour l'éternité, ces sourires, ces bonheurs fugaces, ces photographies gravées à jamais dans les replis sombres de mon cerveau. Pour toujours il y aurait cet après, ces « pourquoi », ces « si seulement », ces larmes, ces cris, ce mascara hors de prix sur mes joues, ces sirènes hurlantes, ces regards remplis d'une compassion dégueulasse, ces soubresauts incontrôlables de mon abdomen refusant d'accepter. Tout ça, bien sûr, m'était alors inaccessible, un secret que seuls les dieux – s'il en existait, ce dont je

13

doutais fort – pouvaient connaître. Que se disaient-elles alors, à 9 h 20, ces divinités ? Un de plus, un de moins, qu'est-ce que ça peut bien faire ? Tu es sûr de toi ? Pas forcément, mais pourquoi pas ? C'est vrai après tout pourquoi pas, ça ne changera pas la face du monde. J'étais loin de tout ça, loin des dieux, loin de mon cœur. J'étais juste moi, à cet instant précis si proche du point de basculement, de rupture, de non-retour. J'étais moi, et je pestais contre Louis qui décidément ne faisait aucun effort.

Je me disais alors que ce gosse me rendait dingue. Cela faisait une demi-heure que je m'échinais à l'extirper de son lit, mais rien n'y faisait. Nous avions rendez-vous à midi avec ma mère pour notre brunch – mon calvaire mensuel, et j'avais prévu de passer entre-temps boulevard Haussmann pour m'acheter ces escarpins rouge sang sur lesquels je fantasmais depuis le début des soldes. Je voulais les arborer lundi, lors de la réunion avec le big boss d'Hégémonie, le groupe de cosmétiques pour lequel je travaillais nuit et jour depuis une quinzaine d'années. Je dirigeais une équipe de vingt personnes dévouées à la noble cause du développement des publicités et des innovations d'une marque de shampooings qui enlevaient jusqu'à 100 % des pellicules – le « jusqu'à » signifiait qu'une testeuse sur les deux cents mobilisées avait vu sa crinière entièrement débarrassée de ses desquamations. L'une de mes fiertés de l'époque était d'avoir obtenu, après d'âpres batailles avec le service juridique d'Hégémonie, d'utiliser cette allégation. Cruciale pour les ventes, pour mon augmentation annuelle, mes vacances d'été avec Louis et mes nouveaux escarpins.

Après quelques vagues grognements, Louis s'est décidé à obtempérer, a enfilé un jean bien trop serré et à la taille bien trop basse, s'est passé un coup d'eau sur le visage, a pris cinq minutes pour savamment décoiffer ses cheveux, a refusé de mettre un bonnet malgré la température de ce matin glacial, a grommelé quelques bribes de conversation incompréhensibles mais dont je connaissais la teneur (mais pourquoi je dois venir avec toi…), a chaussé ses lunettes de soleil, empoigné son skateboard – une planche sale, taguée sur toute sa surface et pour laquelle je devais acheter des roues de compétition tous les quatre matins –, mis sa doudoune ultra-light Uniqlo rouge, attrapé un paquet de biscuits fourrés au chocolat tout en acceptant d'engloutir une compote en gourde comme lorsqu'il avait cinq ans, et a enfin appelé l'ascenseur. J'ai jeté un coup d'œil à ma montre. 10 h 21. Parfait, nous avions encore le temps de réaliser mon programme millimétré. J'avais prévu large, le rituel de lever de monseigneur Louis-le-Grand ayant une durée totalement aléatoire.

Il faisait un temps magnifique, un ciel bleu d'hiver sans nuage. J'ai toujours aimé les lueurs froides. Je n'ai jamais trouvé ciel plus bleu et plus pur que lorsque j'étais en déplacement professionnel à Moscou.

La capitale russe est pour moi la reine du ciel d'hiver. Paris avait revêtu ses airs moscovites et nous lançait des œillades éblouissantes. Une fois sortis de notre appartement du dixième arrondissement, Louis et moi avons commencé à longer le canal Saint-Martin en direction de la gare de l'Est, slalomant entre familles en balade et touristes hypnotisés par le spectacle d'une péniche passant l'écluse du pont Eugène-Varlin. J'observais Louis, qui cavalait devant sur sa planche à roulettes. J'étais fière de ce petit bout d'homme qu'il était en train de devenir. J'aurais dû le lui dire – ces pensées-là sont faites pour être exprimées, sinon elles ne servent à rien –, mais je ne l'ai pas fait. Ces derniers temps, Louis a beaucoup changé. Une poussée de croissance propre à son âge l'a fait passer du physique d'un petit garçon frêle à celui d'un adolescent de taille honorable, un brin de barbe se dessinant sur ses joues toujours pouponnes, encore dépourvues de boutons. Une belle allure en construction.

Tout cela allait trop vite. Je me suis revue un instant, déambulant le long du quai de Valmy, une poussette bleu pétrole dirigée de la main droite, mon téléphone dans la main gauche. Je crois bien que cette vision m'a fait esquisser un sourire. Ou bien l'ai-je inventé a posteriori ? Ma mémoire me fait défaut, il est très difficile de me souvenir de mes pensées durant ces instants pourtant tellement importants. Si seulement je pouvais revenir en arrière de quelques minutes, je serais plus attentive. Si seulement je pouvais revenir en arrière de quelques mois, de quelques années, je changerais tellement de choses.

J'ai entendu retentir le dernier son de The Weeknd – que Louis avait installé comme sonnerie sur mon smartphone. C'était JP. Merde. Pourquoi mon supérieur hiérarchique m'appelait-il un samedi matin ? Bien sûr, c'était déjà arrivé, on ne peut pas travailler pour une entreprise comme Hégémonie sans avoir à gérer quelques urgences. Quand j'y pense désormais, quand j'entends quelqu'un prononcer le mot « urgence », cela a une tout autre connotation. Plus jamais je n'utiliserai un tel terme pour parler d'une présentation qui doit être bouclée, d'un test consommateurs qui doit être lancé, d'un flacon dont le design doit être validé. De quelle urgence parle-t-on au juste ? Qui est en danger de mort ? Cela, je ne le savais pas, à cet instant précis. Je me demandais seulement quelle urgence JP pouvait bien avoir à me communiquer, et je pressentais que cela avait un lien avec la réunion de lundi. Urgence absolue, donc. Vitale. J'ai décroché sans hésiter, remarquant à peine Louis, qui avait ralenti et qui s'était positionné à mes côtés, souhaitant visiblement me parler. Je lui ai fait signe que j'étais au téléphone, est-ce qu'il ne le voyait pas ? Il a parlé dans sa barbe naissante, marmonnant que c'était important, je crois. Mimant l'importance du sujet. Je ne saurai jamais de quoi il voulait me parler.

Je suis certaine que mes dernières pensées à l'égard de mon fils ont été des pensées négatives. Quelque chose ayant trait à son besoin constant d'attention, au fait de ne pas pouvoir avoir une minute à moi, à son égoïsme d'adolescent, à mon besoin de respirer un peu, merde. Je crois que le dernier mot qui s'est formé dans ma tête concernant ce petit être, la chair de ma chair, que j'ai bercé des milliers d'heures, avec lequel j'ai chanté des milliers d'heures, qui m'a procuré tant de rires, de fierté et de joie, le dernier mot que j'ai prononcé mentalement dans mes méninges rouillées, c'est bel et bien ce putain de mot de Cambronne. Quelle honte. Quel souvenir injuste.

Louis a soufflé bruyamment, a saisi le casque audio rouge qui sommeillait jusque-là autour de son cou, l'a enfoncé sur son crâne d'un geste trop appuyé, a éructé que de toute façon c'était toujours la même chose avec moi, qu'il n'y en avait que pour mon boulot, puis il a accéléré la poussée sur sa jambe droite et lancé le skate sur le trottoir en pente. Si je n'avais pas été en communication avec JP – l'urgence était bien un problème de diapositives Powerpoint à refaire –, j'aurais eu un réflexe de mère, le genre qui nous fait crier « ralentis, tu vas trop vite », et qui exaspère le moindre enfant ayant dépassé la maternelle, le genre qui ne sert à rien en théorie, mais qui en pratique peut toujours parvenir à éveiller une conscience à demi assoupie. Le cri est resté dans ma tête. Il n'est pas très bien vu chez Hégémonie d'avoir des enfants, même si la politique officielle est claire : Hégémonie est pour l'égalité hommes-femmes, Hégémonie investit pour le succès des femmes dans la société. Il y a toujours un gouffre entre la théorie, la politique affichée, et la pratique, cet autre visage d'une même organisation, ces non-dits qui aboutissent à un taux de femmes dans les comités exécutifs des grands groupes ridiculement bas. Depuis toujours je m'étais battue pour accéder à ces hauts postes, il était donc hors de question d'afficher une quelconque fibre maternelle en pleine conversation de travail, même un samedi, même à 10 h 31.

Alors que JP me décrivait mollement les modifications à effectuer dans la journée de dimanche, je gardais un œil distrait sur Louis, qui décidément allait trop vite. J'ai noté son casque vissé sur les oreilles, et je me rappelle distinctement avoir formulé l'espoir qu'il n'ait pas poussé le son trop fort, et qu'il ait pris conscience de sa vitesse. J'ai secoué la tête en me disant qu'il était grand maintenant, qu'il fallait que je cesse de m'inquiéter à tout bout de champ pour lui, pour tout, pour rien, surtout pour rien. C'est incroyable toutes les pensées qui jaillissent en l'espace de quelques secondes. C'est incroyable à quel point quelques secondes peuvent ensuite s'ancrer douloureusement dans un cerveau.

Dernier coup d'œil à mon écran de smartphone, il est 10 h 32. Je me dis qu'il faut que je raccroche avec JP d'ici trois minutes maximum car nous sommes proches de la station de métro.

J'entends un bruit sourd, qui me fait penser à la sirène d'un paquebot en détresse. C'est un camion. Je redresse la tête et le temps se fige. Je ne suis qu'à une centaine de mètres mais la rumeur des passants est tellement forte que j'ai l'impression d'être déjà sur place. Mon téléphone se brise sur le sol. Je hurle. Ma jambe se tord, je tombe, me relève, ôte mes stilettos et cours comme je n'ai jamais couru. Le camion s'est arrêté, maintenant. Je ne suis pas la seule à hurler. Une dizaine de personnes, qui étaient attablées au soleil – une belle matinée d'hiver –, se sont dressées. Un père cache les yeux de son fils. Quel âge a-t-il ? Quatre, cinq ans probablement. Ce genre de scène n'est pas pour lui. Même dans les films, ce genre de scène n'est jamais montré. À quiconque. On peut tout au plus la suggérer. Un peu de pudeur dans ce monde de brutes s'il vous plaît. Je m'approche, je hurle de nouveau, je me jette à terre, je sens que je m'écorche les genoux, mais je ne sens pas la douleur. Pas celle-ci en tout cas. Louis. Louis. Louis. Louis. Mon amour. Ma vie. Comment décrire l'indescriptible ? Un témoin de la scène a plus tard employé le terme de « louve ». Des cris de louve que l'on éventre. Je me bats, je griffe le sol, mon corps tremble, je tiens la tête de Louis dans mes mains. Je sais qu'il ne faut pas le toucher, qu'il ne faut rien déplacer, mais je ne peux pas. Toujours ce même écart entre la théorie et la réalité. Je ne peux me résoudre à le laisser sur le sol sans rien faire. Pourtant je tiens sa tête et je ne fais rien d'autre qu'attendre en pleurant, vérifiant sans cesse son souffle. Respire-t-il ? Il respire. Il ne respire plus. Il respire de nouveau. Les secours arrivent dans un temps record. Un pompier me prend en charge, ou plutôt tente de m'arracher au corps de Louis. Je le gifle. Je m'excuse. Il me sourit. Je me souviens de tout. De ses gestes fermes et doux à la fois, de son nez disgracieux, de sa voix rassurante, de ses mots tellement convenus, de l'ambulance qui s'éloigne. Je capte quelques bribes. Urgences pédiatriques. Hôpital Robert Debré. Soins intensifs. Ça va aller, madame. Non, ça ne va pas aller. Je vais vous accompagner. Je m'effondre. Il me retient. Mes muscles, tendus à l'extrême depuis l'accident, viennent de lâcher. On m'installe sur une chaise du café ensoleillé. Mon corps ne répond plus. Mes boyaux se tordent, je vomis mon petit déjeuner sur la table de ce bar hipster qui s'est vidé en quelques instants. Je m'essuie la bouche, bois un verre d'eau et relève la tête.

Rien n'a changé autour de moi, le ciel est toujours aussi bleu, aussi pur. Je regarde ma montre. Brisée, elle aussi. Cadran fissuré, aiguilles figées. Témoin immobile. Il est toujours 10 h 32.

UN MATIN

Je m'appelle Louis, je vis à Paris, j'ai douze ans et demi, bientôt treize. J'adore le foot, les dessins animés japonais, Maître Gims, les chaînes YouTube consacrées aux Pokémon, la pâte à tartiner qui contient plus d'huile de palme que l'huile de palme (j'adore cette blague), les films de cinéma des années 90 et 2000 (non, ça n'est pas ringard comme passion), l'odeur des pots d'échappement, les skateboards flashy, les seins de Mme Ernest ma prof de maths, les maths sans les seins de Mme Ernest, ma super grand-mère Odette, ma mère (la plupart des jours).

À part ça, je crois que je suis mort.

D'habitude, je n'aime pas trop raconter ma vie, mais vu les circonstances et vu que vous êtes là, autant vous expliquer un peu à qui vous avez affaire, et ce qu'il s'est passé.

Je vis seul avec ma mère. Elle s'appelle Thelma. C'est avec elle que j'ai vécu ma dernière matinée. J'aimerais vous dire que c'était une matinée exceptionnelle, qu'on a partagé des instants merveilleux, qu'on s'est enlacés tendrement et dit des mots doux. En vrai, c'était une matinée d'une banalité tout à fait affligeante, et après tout c'est bien normal. On ne vit pas chaque heure de chaque jour comme si c'était la dernière, ce serait épuisant. On vit, c'est tout. Et ma vie avec ma mère, ça ressemblait exactement à ça.

Donc quand j'y repense, en elle-même cette matinée était parfaite. Je sais bien que maman doit avoir un tout autre avis sur la question, je sais bien qu'elle doit repasser en boucle dans sa tête chaque image de ces quelques minutes en se demandant ce qu'elle aurait dû faire, ce qu'elle aurait pu changer. Moi, j'ai la réponse, et on n'est sûrement pas d'accord avec ma daronne : rien.

C'est étrange comme réponse quand on sait que cette matinée ensemble s'est résumée à maman qui tente de m'extirper de mon lit, moi qui râle, traîne des pieds et râle encore. Ça, c'est ce qu'on pouvait voir de l'extérieur. C'était aussi ce que j'en voyais. Maintenant que j'ai un peu (beaucoup) de recul, je me rends compte de mes sensations. De ce ressenti diffus, de ces picotements cérébraux qui ne deviennent accessibles que quand il n'y a plus rien d'autre. Le poids de l'habitude. Le bonheur des habitudes. L'immuable délice des rituels familiaux. Ces petits riens du quotidien qui nous construisent et qui changent tout.

Ce matin-là était rempli de ces gourmandises rituelles. La poignée de la porte de ma chambre qui grince, éveillant un centième de ma conscience, annonçant l'avènement du jour suivant. Maman qui franchit le seuil de ma porte, qui s'approche et me passe une main dans les cheveux, caressant mon crâne depuis le front vers la nuque — jamais l'inverse. Maman qui susurre « Bonjour mon loulou, il est l'heure de se lever, mon petit cœur », comme si j'avais toujours deux ou trois ans. Cet instant suspendu entre le sommeil et l'éveil, cet état léthargique au cours duquel le rêve et la réalité se confondent. Puis le son du volet mécanique de la chambre que l'on remonte, les rayons du soleil qui viennent frapper mon visage, un grognement, je me retourne et enfouis ma tête sous le coussin. Fin du premier passage de maman. Les bras de Morphée se raniment, je reprends le cours d'un rêve dont je n'aurai aucun souvenir. Deuxième passage, la voix de maman se fait plus insistante, moins douce, plus ferme. Comme tous les jours. Elle aussi connaît bien ce rituel. Le même depuis presque treize ans. Même si tout cela est devenu un réflexe, elle comme moi identifions à la tonalité d'une syllabe prononcée, à la longueur d'un son guttural émanant de l'ours adolescent semi-endormi quelle est l'humeur du jour. L'humeur du jour est joyeuse. Nous sommes samedi, nous le savons. Nous avons tout le temps, même si maman prétend le contraire. Je connais le programme de la journée, je connais ma mère, je sais qu'elle me réveille avec de l'avance pour me laisser émerger.

Je fais une petite parenthèse parce que je sais ce que vous êtes en train de vous dire : c'est quand même bizarre, ce gamin de douze ans et demi qui emploie tous ces mots compliqués, non ? En tout cas, pour mes camarades de 3ᵉ C du collège Paul Éluard, je peux vous dire que c'est chelou (louche, pour les plus de quarante ans). C'est chelou d'être en troisième à douze ans et demi de toute façon. Moi, j'en fais pas toute une affaire, mais voilà c'est comme ça que je parle j'y peux rien, et au collège on se moque suffisamment de mes tournures de phrases en me traitant de sale intello, alors merci bien vous n'allez pas vous y mettre...

Où en étais-je ? Ah oui, je vous racontais. Depuis quelques jours j'avais envie – j'avais besoin – de parler à maman de cette fille que j'ai rencontrée au foot – oui il y a des filles qui font du foot, et oui elles peuvent être jolies, il faut arrêter avec les clichés. J'attendais le bon moment. On est pudiques, maman et moi. Pas du genre à étaler nos sentiments. Plutôt du genre à intérioriser. Le bon moment pour parler à ma mère, ça n'est pas les jours de semaine. Elle rentre exténuée par ses journées de travail, et elle a du mal à lâcher son smartphone, toujours à gérer ce qu'elle appelle des « urgences ». Je me demande quel genre d'urgences il peut bien y avoir à gérer quand on s'occupe de shampooings antipelliculaires...

Bref. Je m'étais dit que ce matin normal de week-end normal était le moment parfait. Je ne voulais pas que maman s'enflamme trop et flippe en m'imaginant déjà marié, donc je ne voulais pas de cérémonial. Une discussion informelle, l'air de rien, ferait l'affaire. Aussi lorsque je me suis approché et que maman m'a repoussé telle une mauvaise herbe sur son chemin, je dois dire que j'ai été vexé comme un pou. Maman dit que je suis un peu sanguin. Je ne sais pas trop ce que ça veut dire, probablement que je suis chiant. Ou susceptible. Ou les deux. À ma décharge, comme dit ma mamie Odette, les chiens ne font pas des chats et maman est particulièrement susceptible. Je n'ai pas dit chiante, c'est vous qui l'avez formulé dans votre tête, avouez-le.

J'ai donc soufflé comme un bœuf et suis parti comme une furie. Je voulais la gêner dans son coup de téléphone de boulot. On était samedi matin, il fallait lui faire comprendre d'une façon ou d'une autre que ce n'était pas un jour de travail. Je sais bien qu'encore aujourd'hui ma mère est stressée quand elle me voit disparaître au coin d'une rue. Consciemment ou pas, elle accélère le pas pour éviter de me perdre de vue. Alors j'ai foncé, je voulais passer le coin de la rue des Récollets avant elle, puis me cacher dans l'entrée du jardin Villemin, histoire de lui flanquer la trouille et de l'obliger à raccrocher.

Ensuite, je ne sais pas trop ce qu'il s'est passé. Enfin si, je pense avoir compris, je ne suis pas débile. J'allais trop vite, c'est clair. J'ai dérapé. La faute bête. Je ne dérape jamais comme ça, je maîtrise mon skate. Au moment

27

où j'ai relevé la tête, j'ai vu le camion arriver, j'ai entendu un bruit de klaxon, et tout est devenu noir.

Black-out total.

Notez que, contrairement aux idées reçues, je n'ai pas vu ma vie défiler en quelques centièmes de secondes, j'ai juste vu les phares de ce foutu camion et je me suis dit tiens c'est bizarre ces phares allumés alors qu'il fait jour.

C'est drôlement con, une dernière pensée.

2

EEG

À aucun moment je n'ai pensé qu'il était mort. Les mères doivent être programmées ainsi. Considérer la possibilité que son enfant meure, c'est déjà l'enterrer. Et enterrer un enfant, c'est impossible, tout simplement. Louis n'était pas mort. Il ne pouvait pas être mort.

J'étais en état de choc. Je ne sais pas si c'est le terme officiel, médical, mais il me semble avoir entendu quelqu'un prononcer ces mots. J'ai vécu la suite de ce samedi polaire dans un flottement ouaté, comme si les sons, les sensations étaient amortis par un cocon protecteur imaginaire qui m'aurait enrobée de la tête aux pieds. Il me semblait être anesthésiée. Peut-être sous l'effet des calmants qui m'ont très vite été administrés, peut-être sous l'effet des bombes qui étaient lâchées les unes après les autres autour de moi.

Des bombes émotionnelles, lorsque les médecins m'ont expliqué qu'ils avaient bourré mon fils de médicaments pour qu'il ne souffre pas, que la priorité était d'enrayer les infections que ne manqueraient pas de provoquer les lésions internes. Que son pronostic vital était engagé, qu'il était pour le moment impossible d'évaluer son état de conscience réel à cause des traitements, qu'il faudrait attendre l'arrêt des médicaments pour se faire une idée plus précise, nous sommes désolés, madame.

Des bombes lacrymales lorsque ma mère est arrivée à l'hôpital, m'a secouée en hurlant, pointant mon immobilisme, mon irresponsabilité, mon inattention, et qu'il a fallu que les médecins l'éloignent de moi, ma propre mère – chacun vit ce genre de situations d'une façon différente, madame, vous devez respecter la réaction de votre fille comme nous respectons la vôtre et non, nous ne sommes pas des petits cons arrogants.

Des bombes lexicales, enfin. Des hordes de mots nouveaux, de sigles, de signaux incompréhensibles, des armées d'adjectifs, de petits soldats médicaux qui n'ont de sens que lorsque l'on a envie de les entendre. Au milieu de ce brouillard, les seules émergences dont je me souviens sont les mots-clés, ces repères dont on pressent qu'ils jouent un rôle crucial, qu'ils sont plus importants que les autres.

Polytraumatisme.

Hématomes.

Intracérébral.

Pulmonaire.

Coma.

Profond.

Respirateur.

EEG.

Électroencéphalogramme.

Attendre.

Combien ?

Ne sait pas.

Imprévisible.

Jamais ?

Ne sait pas.

Trop tôt.

Espoir.

Courage.

Sur son lit d'hôpital, Louis était beau. Serein. Calme. Étonnamment préservé. S'il n'y avait pas eu tous ces tuyaux, son visage et le reste de son corps auraient semblé intacts ou presque. Deux côtes fêlées, une jambe fracturée – la fracture n'étant pas ouverte, une immobilisation suffira, m'avait-on indiqué. Ce à quoi j'avais rétorqué que je me demandais bien à quoi pouvait servir cette immobilisation vu qu'il n'allait pas gambader tout de suite. L'infirmière m'avait jeté un de ces regards qui en disent long, qui jugent déplacée cette boutade émanant de la bouche d'une mère en détresse. J'étais une mère déboussolée. En détresse, je ne sais pas. Tout cela semblait irréel. C'est un

31

cauchemar, Thelma. Rien de plus. Tu vas te réveiller, et Louis sera présent à tes côtés, sa mèche décoiffée de surfeur retombant sur ses yeux noirs qui se mettront à rire de tous leurs cils. Qu'est-ce qu'il t'arrive, maman ? Tu n'aimes plus mes blagues ? D'accord celle-ci est douteuse, mais je vais bien, ne t'inquiète pas. Au fait tu m'as acheté cette carte Pokémon Ex que j'avais repérée sur Amazon ? Qu'est-ce qu'on mange ce soir ? Je peux regarder le concert sur MTV ? Allez, pleaaaase mum, t'es pas cool. T'es la meilleure, je t'adore.

Je suis tellement loin d'être la meilleure. La meilleure et moi sommes à des années-lumière l'une de l'autre. Elle me nargue, depuis sa galaxie éloignée. Son fils est debout auprès d'elle, il sourit. Il est vivant. Le mien ?

Vivant.

Aussi.

Espoir.

Attendre.

Combien ?

Ne sait pas.

3

JUSTE APRÈS

J'ai été autorisée à quitter l'hôpital le dimanche soir. Le personnel n'a pas voulu me laisser sortir le samedi, ils avaient besoin de me garder en observation – officiellement. Mais je pense qu'ils avaient surtout peur que je fasse une connerie. C'est mal me connaître. S'il y a bien quelque chose que je ne suis pas, c'est suicidaire. J'ai l'instinct de survie chevillé au corps. Même dans les moments les plus sombres, je trouve la force de me relever. C'était ce que je me répétais en boucle depuis l'accident de Louis. Il allait falloir que je me mette en mode lutte. Et ça, je savais faire. Je suis une guerrière. Une battante. *C'est très bien, madame, Louis va avoir besoin de votre soutien. L'entourage est pour beaucoup dans l'évolution d'un coma. Cela ne garantit rien, bien entendu, mais Louis est très jeune. À son âge il a plus de chances de s'en sortir. Les cas d'évolution positive sont souvent le fruit d'un accompagnement médical pointu,*

33

d'un patient jeune qui n'abandonne pas, et d'un entourage aimant qui se bat à ses côtés.

Je suis sortie le dimanche, donc, l'espoir au cœur, mais la mort dans l'âme. En surface, je voulais me battre avec lui, et les infirmières m'avaient boostée. Surtout cette petite blonde adorable qui me faisait penser à Sophie Davant et à qui j'aurais pu confier mes tourments les plus intimes devant les caméras. Mais au fond de moi, une petite voix nauséabonde – aidée par une nuit de recherches sur le coma, et Internet est particulièrement destructeur dans ce genre de cas – me glissait des « à quoi bon », des « stade 3 pour un coma, c'est foutu », des « pense à Michael Schumacher, ça fait des années », des « et s'il se réveillait avec un Locked-in Syndrome », des « et s'il ne se réveillait jamais ». Je passais donc en quelques instants du désespoir le plus total à l'optimisme le plus brut, faisant craindre au personnel hospitalier que ma santé mentale n'ait été affectée. J'avais envie de leur dire de ne pas s'inquiéter, que j'étais comme ça d'habitude aussi, qu'aujourd'hui c'était juste poussé à l'extrême, mais je n'étais pas sûre que ça les rassure et je devais sortir de là, sinon j'allais vraiment devenir dingue.

J'ai pu aller voir Louis. Passer la journée avec Louis. Mon petit garçon endormi. Je m'attendais à le voir se réveiller, se tourner, grogner qu'il était bien trop tôt pour un dimanche. J'aurais tout donné pour entendre un de ses grognements qui d'ordinaire me hérissent.

Mais rien de tout cela ne s'est produit. Rien ne s'est produit. La machine rendait sa respiration régulière, mais son torse était la seule parcelle de son corps qui semblait active. Je lui ai pris la main une bonne partie de la journée. Je lui ai massé les paumes, les doigts. Les pieds aussi, longuement, lentement. Sentir son corps tiède me rassurait. De son visage, j'avais le droit de caresser les joues seulement. Je fermais les yeux et voyais s'animer la petite fossette qui se creuse toujours lorsqu'il sourit. J'ai pleuré, beaucoup. Sur ses mains, dans les miennes. Il paraît que c'est normal. Je lui ai chanté quelques berceuses. J'ai fredonné une dizaine de fois sa préférée, celle qu'il me réclamait encore à douze ans. Celle que j'avais inventée, avec mes propres mots. Sans doute la plus dépourvue de mélodie, sans doute la moins jolie des berceuses. Sans doute la plus belle à ses yeux et aux miens.

Le soleil s'est couché. J'ai eu peur. Je craignais plus que tout de rentrer chez nous, seule. Devoir faire face à lui sans lui. Ouvrir la porte, sentir l'odeur entêtante de ce parfum d'adolescent dont il s'aspergeait chaque matin, ramasser les affaires sales qu'il avait jetées dans le couloir menant à la buanderie, comme à son habitude. Manger. Dormir. Ne pas dormir. La veille, on m'avait administré des somnifères, et l'épuisement aidant, j'étais parvenue à trouver un sommeil dépourvu de rêves. Mais cette première nuit sans lui serait différente. Je la voyais arriver et freinais des quatre fers, faisant semblant de ne pas entendre les infirmières qui commençaient depuis quelques minutes à m'indiquer doucement qu'il allait bientôt falloir partir, que je ne pouvais pas rester. Et que cela risquait de durer. Qu'il faudrait que je sois forte, pour lui. Je l'ai embrassé longuement, lui ai murmuré des choses que seuls lui et moi devons connaître, je me suis redressée et suis sortie de sa chambre, abandonnant là mon bébé et mon existence d'avant. J'allais devoir affronter la vie d'après.

J'ai décidé de marcher jusqu'à chez moi, pensant que respirer autre chose que l'air tournant en circuit fermé dans l'hôpital me ferait du bien. Après quelques centaines de mètres dans la circulation dense d'un dimanche soir parisien, je me suis mise à songer au chauffeur du camion qui avait bouleversé ma vie. Des agents de police étaient passés me voir, mais j'étais dans un état tel que les médecins leur avaient déconseillé de me solliciter. Il allait pourtant falloir qu'ils m'entendent, avaient-ils répondu. Ils étaient revenus plus tard et nous nous étions entretenus une dizaine de minutes. J'avais dû décrire ce que j'avais perçu de la situation, c'est-à-dire pas grand-chose. Je souhaitais cependant que justice soit faite et commençais à diriger ma soif de vengeance vers le chauffeur du camion. Les policiers l'avaient bien compris, avaient tempéré mes élans concernant une éventuelle incarcération à vie et m'avaient assuré que l'enquête était en cours, que de nombreux témoins avaient pu décrire la scène précisément, que l'enregistrement vidéo de la caméra de surveillance de la rue était exploitable, et que bien entendu justice serait rendue. L'un d'eux m'avait malgré tout glissé qu'il s'agissait d'un accident, que je devais savoir que le chauffeur était une femme, une mère de deux enfants en bas âge, qu'elle était elle aussi bouleversée, sous le choc, et que les conclusions de l'enquête risquaient de ne pas me plaire. Les témoignages concordaient, il semblait assez clair que Louis avait perdu le contrôle de son skate, et que malgré toute la bonne volonté du monde il était extrêmement difficile d'éviter une collision. La responsabilité de la conductrice serait probablement très limitée. Je m'étais alors mise à cracher sur l'incompétence de la police, hurlant que cela ne pouvait pas se passer de cette façon, que mon fils n'était pour rien dans tout cela, que cette garce était une belle manipulatrice si elle avait réussi à leur faire croire à son irresponsabilité, qu'eux-mêmes, ces policiers de mes deux, étaient des gros connards, et autres noms d'oiseaux qu'il m'est difficile de retranscrire a posteriori. Lorsque je m'étais dressée, un poing rageur dans leur direction, Sophie Davant et un collègue aide-soignant étaient entrés dans la chambre et m'avaient retenue, puis je m'étais effondrée dans les bras de la présentatrice télé sur le sol froid en linoléum vert, secouée de sanglots frénétiques. Les policiers m'avaient calmement indiqué qu'ils ne tiendraient pas compte de ces mots et gestes qui avaient sans aucun doute dépassé ma pensée, m'avaient souhaité beaucoup de courage, et étaient sortis. Je n'avais pas seulement perdu l'avenir de mon fils, j'avais aussi perdu ma dignité. J'avais appris que le chauffeur du camion était une femme, une mère elle aussi, et je lui avais souhaité le pire alors même que je ne savais rien de sa vie.

J'ai secoué la tête tout en continuant ma marche vers les rives du canal Saint-Martin. Encore une quinzaine de minutes et je serais chez moi. Chez nous. Seule.

Après un kilomètre, mes vieux réflexes se sont réactivés. J'ai jeté un coup d'œil à ma montre. Cadran toujours brisé, 10 h 32. Rien à attendre de ce côté-là. J'ai lancé la main droite à la recherche de mon téléphone portable, auquel je n'avais pas songé depuis la veille, ce qui ne m'était pas arrivé depuis… ce qui ne m'était jamais arrivé. Après quelques mouvements de poignet dans le trop-plein de mon sac à main, j'ai pris conscience que mon smartphone ne s'y trouvait pas et me suis rappelé l'avoir lâché au moment de l'accident.

J'ai stoppé ma marche. JP. J'étais en communication avec JP. Je ne l'avais pas recontacté, n'avais pas eu une seule pensée pour lui, pour notre foutue présentation à Mister Big Boss qui devait avoir lieu demain. Il fallait que je travaille sur la présentation dimanche et dimanche, c'était aujourd'hui. JP devait être en panique de n'avoir aucune nouvelle de ma part. Panique concernant la présentation, bien sûr. Rien à foutre de ma petite personne. Je me demandais ce qu'il avait bien pu entendre de l'accident. Avait-il été témoin auditif des événements, ou bien le téléphone s'était-il brisé avant ? J'ai passé en revue mes sensations de l'instant et ai acquis la certitude que le téléphone s'était cassé tout de suite. JP n'avait rien entendu. Cela m'a rassurée dans un sens, car je n'avais aucune envie de sentir braqués sur moi les regards faussement compatissants des salariés d'Hégémonie. Ma carrière allait être ma bouée de sauvetage. Si je perdais ma vie professionnelle, alors je ne serais plus rien. Je devais coûte que coûte préserver cette oasis de normalité. Préserver la Thelma directrice marketing de la division shampooings techniques. Ne pas la laisser être ensevelie sous la Thelma mère d'un enfant dans le coma.

Malgré mes efforts pour penser à JP et à mon boulot, les images de l'accident ont continué à affluer, j'ai entendu résonner mes propres hurlements, senti monter une vague de nausées et n'ai pu m'empêcher de vomir, là, au beau milieu de cette rue. J'ai toussé, hoqueté plusieurs fois. Une vieille dame avec son chien a changé de trottoir pour m'éviter. La légendaire sollicitude parisienne.

Je me suis assise sur les marches d'entrée d'un immeuble pour respirer, me calmer, tenir à distance ces bruits et cette fureur. Combien de temps suis-je restée ainsi ? Suffisamment pour laisser mes mains, mes oreilles et mes joues oublier la morsure du froid.

Puis quelques pensées ont recommencé à se former. J'ai dessiné lentement les contours de nouveaux objectifs de vie à court terme. Je ne peux pas avancer si je n'ai pas d'objectifs. Je n'ai jamais vécu sans. Depuis l'accident tous mes objectifs avaient été rendus obsolètes. J'ai donc établi une nouvelle liste extrêmement courte mais percutante, qui allait cristalliser tous mes efforts, toute mon énergie dans les jours à venir. Après, on verrait bien.

Objectif numéro un : sortir Louis du coma.

Objectif numéro deux : continuer ma vie professionnelle comme avant.

J'ai pu fermer l'œil une petite heure au cours de cette nuit tant redoutée, le reste du temps j'ai travaillé sur la présentation pour Mister Big Boss. Lorsque je suis sur mon ordinateur, je me mets en état de flux : plus rien autour ne compte.

C'était exactement ce qu'il me fallait. Étourdir, assommer mon esprit à grand renfort de travail acharné pour éviter de penser à Louis.

4
Ô CAPITAINE ! MON CAPITAINE !

— Putain Thelma qu'est-ce que tu foutais je t'ai appelée cinquante fois c'est hyper pas professionnel t'aurais pu au moins me rappeler putain le niveau de stress que tu m'as mis j'espère que tu as fait toutes les modifs sur la présentation sinon on va passer un sale quart d'heure et c'est pas moi qui te soutiendrai ma cocotte.

Une respiration. La première.

— Moi aussi je t'aime, JP. Bonjour, au fait.

— Fous-toi de ma gueule. T'es pas gênée quand même. Heureusement que je t'adore et que je ferais tout pour toi.

Le mec dit toujours tout et son contraire à une phrase d'intervalle. C'est à devenir dingue. Tous les petits jeunes de la boîte sortent de rendez-vous avec lui totalement déboussolés, ne sachant que faire de ses injonctions antagonistes. Je me suis documentée sur le sujet et je crois bien que JP est un pervers narcissique. Le genre à perdre ses victimes dans ses demandes alambiquées, à les féliciter pour un travail accompli tout en leur indiquant à quel point ils sont des grosses merdes.

— Tiens, voilà la version définitive de la présentation, lui ai-je dit en lui tendant une clé USB.

— J'ai pas fermé l'œil de la nuit à cause de toi. On te paye assez cher pour que tu ne prennes pas ton week-end quand on voit le big boss le lundi. C'est clair ?

— Comme de l'eau de roche, JP. Promis je ne le referai plus.

Minauderies, regards en coin, stratégie de la petite fille à la fois repentie et arrogante – rien de plus efficace avec un pervers que de le prendre à son propre jeu et de le perdre avec des attitudes en contradiction totale avec la teneur des phrases.

JP a parcouru la présentation, et m'a regardée avec un grand sourire. J'avais fait du bon boulot, je le savais. Il ne pouvait rien me reprocher.

— Bien joué, la miss. T'es chiante, mais t'es bonne. Quand je dis « bonne » je parle de tes compétences bien sûr, entre nous tu as dépassé la date limite de consommation pour moi, ha ha. Je plaisante tu sais bien que je te kiffe, tu es la plus jolie MILF[1] que je connaisse. Allez, assez rigolé, on nous attend, enlève ta culotte, on va s'en prendre une bonne, ha ha.

1. *Mother I'd like to fuck.*

Ne t'inquiète pas, JP, je ne t'en veux pas, mais depuis deux ans j'enregistre régulièrement sur mon iPhone toutes les gentilles phrases que toi et tes congénères prononcez à mon égard ou à l'égard des autres femmes. Je ne suis pas née de la dernière pluie.

JP et moi avons ensuite pris l'ascenseur en direction du huitième étage. Chaque personne que nous avons croisée nous a gratifiés d'un « bon courage » de circonstance. Mister Big Boss est une terreur dans la société, et une légende au-delà. « Une main de fer dans un gant de fer », dixit ses collègues P-DG du CAC 40, « un immense connard », dixit les salariés polonais d'Hégémonie dont les usines ont été fermées récemment, un grand patron totalement inconnu du grand public mais un demi-dieu de la sphère financière, qu'il convient de vénérer, et surtout de ne pas contredire. Sous peine de subir les foudres de ce dictateur des temps modernes.

Je n'ai pour ma part jamais eu peur de lui, sûrement une réminiscence de l'éducation que m'a donnée ma mère. Elle m'a toujours dit que si quelqu'un m'impressionnait, il fallait que je l'imagine dans une situation grotesque pour le désacraliser. « Qui que ce soit, quelle que soit sa morgue ou sa puissance, l'imaginer sur ses toilettes devrait le remettre à sa juste place dans ton esprit, ma fille : c'est un homme comme un autre, qui a les mêmes besoins vitaux, mais aussi les mêmes droits et les mêmes devoirs que les autres, il ne faut jamais l'oublier. »

Dix minutes plus tard, nous pénétrons dans la salle de réunion. Une trentaine de personnes sont assises, arborant des mines d'enterrement. Après tout c'est bien normal, nous parlons cosmétiques, c'est un sujet des plus grave. Dans ce genre de réunions, il y a une flopée de figurants qui font semblant d'écouter mais répondent à leurs mails ou font leurs courses en ligne sur leur PC portable. Ceux-là n'interviennent jamais, mais sont toujours d'accord avec le grand chef, opinant d'un air inspiré à chacune de ses interventions. Lorsque l'orateur est une femme, il est de bon ton qu'elle ait mis une jupe courte, des talons hauts, et qu'elle se soit maquillée à l'aide de tout le matériel maison : mascara Milliards de Cils, rouge à lèvres Rougissime, fard à paupières Vintage Chic, vernis fuchsia édition limitée New York Fun. A minima.

Mister Big Boss aime faire des blagues sur les consommatrices qu'il appelle « Mme Michu » d'un air condescendant, sur les mannequins des publicités Hégémonie qu'il compare volontiers à de la volaille et qu'il nous demande de virer dès les premiers signes de l'âge apparus, sur les employés des usines qui n'en branlent pas une, sur les smicards qui devraient s'estimer heureux d'avoir un emploi et qu'on remplacerait bien par des Niakoués qui vivent parfaitement avec un euro par jour (eux), sur les directrices marketing qui assènent des mots anglais pour mieux faire passer le vide de leurs recommandations. Mister Big Boss est un comique. D'ailleurs la salle est hilare, c'est un signe qui ne trompe pas.

Je débute ma présentation et remarque rapidement que Mister Big Boss ne m'écoute pas. Il pianote sur son iPhone avec un sourire lubrique. J'imagine bien le genre de contenu qu'il est en train de contempler. Je décide de m'arrêter. Cette putain de présentation sur laquelle j'ai bossé toute la nuit est destinée au grand schtroumpf et à lui seul. S'il n'écoute pas, cela n'a aucun intérêt de continuer. Raclements de gorge dans l'assemblée, regards qui se lèvent vers moi, se demandant à quoi je suis en train de jouer, la règle voulant que quelle que soit l'attitude du souverain, le spectacle doive continuer – *the show must go on, darling*.

Mon silence devenant assourdissant, le président-directeur général lève les yeux dans ma direction et me scrute quelques instants. Interloqué, il se redresse et pose son smartphone sur la table.

— Eh bien, ma petite Thelma, que se passe-t-il ?

— Cette présentation vous est destinée, et vous n'écoutez pas. Je me suis donc interrompue pour vous laisser le temps de régler les affaires urgentes.

— Le comité exécutif est présent devant vous, ainsi qu'une vingtaine des plus hauts cadres de cette entreprise, cette présentation n'est pas uniquement pour moi, et je n'aime pas votre ton. Continuez.

J'hésite. Je regarde mes pieds. Je dois rester impassible. Accepter sans broncher. Et puis non.

— Lequel de ces messieurs pourrait résumer le début de ma présentation ?

Regain d'intérêt dans l'assistance. Sourires narquois. Regards apeurés.

— À quoi jouez-vous, ma petite Thelma ?

— Je ne suis pas votre petite Thelma. Très bien, reprenons.

Je reprends ma présentation là où je l'ai laissée, mais sens bien que Mister Big Boss rumine quelque chose. Il m'interrompt au beau milieu d'une phrase.

— Non, nous n'allons pas reprendre. Votre présentation n'est pas prête, c'est de l'amateurisme. Revenez me voir quand vous aurez travaillé un tant soit peu. Je pensais savoir quel genre de femme vous étiez, ma petite Thelma, et ça me plaisait bien. Avez-vous des enfants, ma petite Thelma ?

Une vision. Incongrue, inattendue dans ce contexte professionnel. Louis. Le camion. L'hôpital. Chasser les images, vite.

— J'ai un fils, monsieur le président, mais je ne vois pas le rapport. Quel genre de femme suis-je, d'après vous ? Et au risque de me répéter, je ne suis pas votre petite Thelma.

— Vous êtes le genre à faire passer votre carrière avant tout, le genre prête à tout pour réussir, si vous voyez ce que je veux dire. Et c'est très bien, personne ici ne s'en plaint.

Sourire lubrique, encore. Petits rires dans l'assemblée. Je me vois marcher le long du canal Saint-Martin. Il est 10 h 31. Louis tente de me parler. Je suis en communication. Je fais passer ma carrière avant tout. Mister Big Boss a raison. Je sens une nausée qui monte. En même temps que des larmes. Mister Big Boss continue.

— J'ai horreur de ces bonnes femmes qui ne foutent rien de la journée, sauf si elles achètent mes produits, bien sûr. Je pensais que vous étiez différente, que vous vous consacriez corps et âme à cette entreprise. Je me suis trompé sur vous. Peut-être que vous auriez dû passer un peu moins de temps à pouponner et un peu plus de temps sur cette présentation. Cette réunion est terminée, ma petite Thelma.

Il se lève. Je sens gronder en moi une colère sourde.

Pouponner. Je me revois au chevet de Louis la veille. Pouponnant mon adolescent abîmé. Essayant tant bien que mal de me rendre utile pour lui. Tentant de masquer ma détresse, puis abandonnant une carapace inutile. Je me revois avec Louis lors de sa première rentrée des classes. Pouponnant mon petit garçon. Lui glissant sa barre chocolatée préférée dans le cartable, avec un petit dessin de cœur rouge pour le rassurer, lui dire que je suis là à ses côtés, toujours. Je me revois avec Louis dans les bras à la maternité. Pouponnant mon bébé. Seule. Me sentant une mauvaise mère car je ne parviens pas à le nourrir correctement. Mes seins me font mal pourtant, mais je n'y arrive pas. Louis perd du poids, on me conseille le biberon, mais je persévère. Je ne lâche pas. Deux jours plus tard, Louis se met à téter et je me mets à pleurer. Pouponner, enfin.

Ce salaud ne sait pas ce qu'il dit. Je me dirige vers lui et je fais ce que j'aurais dû faire depuis longtemps. Ce que toutes les femmes de cette société auraient dû faire depuis longtemps. Je me plante devant le dictateur, lui bloquant le passage. Et je le gifle de toutes mes forces.

Une Gifle avec un grand G.

La gifle suprême.

La super gifle.

La gifle parmi les gifles.

Je vais la payer très cher. Je vais me faire virer, je le sais. Mais quel pied ! Putain quel pied, cette gifle. Le connard en chef me fixe, hébété. Il porte la main à sa joue, puis me sourit et lance à la cantonade.

— Virez-moi ça tout de suite !

Je réponds tout simplement.

— Avec plaisir, monsieur le président.

Je sors de la salle dans un état que je ne me suis jamais connu. Je pense éclater en sanglots. À la place, j'éclate de rire.

5

QUE MON CŒUR LÂCHE

J'avais échoué. Mon objectif numéro deux était totalement foiré. Une chose était désormais certaine : je ne continuerais pas ma carrière comme avant. Je pensais me sentir extrêmement mal, mais dès le lendemain, mes épaules étaient plus légères et j'ai pu passer des journées entières au chevet de Louis. Je lui ai raconté mes aventures, la manière dont j'avais mouché ce vieux porc de président, j'y ai mis les formes, mimé la scène, provoquant l'hilarité des infirmières présentes, notamment de Sophie Davant qui m'a glissé sur le mode de la confidence qu'il y aurait beaucoup à faire à l'hôpital aussi, que les mufles couraient les couloirs et que connaître mon histoire redonnait espoir à toutes ces femmes humiliées quotidiennement au gré des excès de testostérone. J'ai eu envie de raconter cette anecdote à ma mère, et j'ai pensé pour la première fois depuis des années qu'elle aurait été fière de moi. Mais j'ai rapidement ravalé cette pensée, je n'avais aucune envie de la voir débarquer dans ma vie, elle était persona non grata. Je l'avais autorisée à rendre visite à Louis, mais je l'avais évitée avec soin. J'avais décidé que nous serions en garde alternée.

Louis était toujours aussi immobile. Je voulais donner l'impression de ne pas me laisser abattre, et tenter d'égayer ses journées autant que possible. Les médecins avaient été clairs, il y avait très peu de chances qu'il perçoive quoi que ce soit, mais il y avait une possibilité infime, alors je m'y accrochais et voulais lui montrer que sa mère se battait, que sa mère n'avait pas sombré.

Lorsque je rentrais chez moi le soir, prête à relâcher la pression du jour, j'entrais dans une phase de découragement pur et dur, et m'autorisais à pleurer, un verre de vin rouge dans la main, puis un autre, puis toute la bouteille. Ensuite je me sentais mieux. Je flottais et pouvais me laisser aller à la rêverie éveillée. Dans mon rêve récurrent, Louis freinait à temps au bord de ce trottoir maudit, se retournait et se mettait à rire en faisant un geste de surfeur qui signifiait « totale maîtrise, maman ». Nous riions ensemble et repartions bras dessus bras dessous vers la gare de l'Est. Le matin, dans la vraie vie, je me réveillais avec la gueule de bois, engloutissais un gramme de paracétamol en même temps que mon café, ignorais les messages téléphoniques et e-mails de ma mère, et repartais pour l'hôpital.

★

Trois jours après la gifle intergalactique, ma lettre de licenciement pour faute grave en main, je me suis rendue chez un avocat et lui ai décrit la situation. Il a grimacé, m'indiquant que j'étais dans de beaux draps... jusqu'à ce que je lui dévoile les atouts que j'avais précieusement conservés dans ma manche : quinze années de bons et loyaux services chez Hégémonie, des évaluations toujours dithyrambiques, des dizaines d'enregistrements audio pirates illustrant le sexisme ordinaire au sein de l'entreprise, et – c'était inespéré – l'e-mail spontané de sympathie de l'une des rares femmes présentes lors de la réunion fatale, se disant prête à témoigner en ma faveur, sous couvert d'anonymat.

Le visage de mon avocat s'est éclairé. C'était du beau travail, mon dossier était béton, jamais un groupe comme Hégémonie – dont le business repose entièrement sur la confiance qui leur est accordée par les femmes du monde entier – ne courrait le risque d'un scandale sexiste qui pourrait lui coûter un boycott, des dizaines de millions d'euros de pertes et une crise médiatique sans précédent. Il allait engager tout de suite des discussions financières qui me mettraient à l'abri du besoin pour de nombreuses années. D'après lui, je pourrais obtenir assez facilement cinq à six cent mille euros, mais nous pouvions viser bien plus haut en faisant très peur au grand manitou.

L'enregistrement d'une des blagues préférées du commandant en chef a donc été envoyé aux avocats d'Hégémonie. Micro ouvert, la scène commence. Les équipes marketing présentent une nouvelle publicité mettant en scène Jennifer Preston-Conwell, l'actrice aux trois oscars, suivie par près de 30 millions de fans sur les réseaux sociaux. Mister Big Boss coupe l'orateur sans ménagement.

— Elle vieillit mal, votre Jennifer. Elle nous coûte une fortune en retouches Photoshop. Une petite lipo-succion lui ferait le plus grand bien, si vous voulez mon avis.

Pause. Gêne palpable. Silence. Mister Big Boss se met à rire.

— Et comment peut-elle avoir des seins aussi petits et un cul aussi gros ? Gonflez sa poitrine, rabotez son derrière, ça ira pour cette fois. Mais ensuite changez d'égérie, mon petit. Sinon les ventes de nos soins du corps vont plonger, et vous avec.

Le jackpot, a exulté mon avocat, les yeux brillant de larmes vénales.

★

L'équipe médicale a décidé d'arrêter les traitements de Louis le neuvième jour. Les infections étaient enrayées, les hématomes se résorbaient. Je voulais croire que Louis allait dans la bonne direction, mais les médecins continuaient à dire qu'il fallait évaluer son état de conscience réel, à présent que le coma n'était plus entretenu artificiellement. C'était maintenant que nous allions savoir si Louis montrait des signes de réveil. Combien de temps faudrait-il pour savoir ? D'ici deux jours nous aurions une bonne idée de la situation. Patience. Courage.

★

J'ai survécu à ces deux jours d'attente insupportable, mais je me suis mise à pleurer partout, tout le temps. Tout me ramenait à Louis. À son absence. Au manque. La boulangère me disait bonjour et j'éclatais en sanglots en apercevant ces macarons que j'avais l'habitude d'offrir à mon fils. J'allumais la radio et ne pouvais supporter tous ces sons à la mode qui me renvoyaient en écho le silence douloureux de mon appartement vide. Je marchais dans la rue et manquais défaillir à chaque fois que je croisais un skateboard. Je devais m'asseoir sur un banc pour reprendre mon souffle dès que j'apercevais un camion. Ma vie était une succession d'épreuves que je ne surmontais jamais.

Ma douleur au crâne se faisait plus lancinante chaque jour. D'une bouteille de vin, j'ai poussé la dose à deux. Le personnel de l'hôpital n'a pas été dupe. Ils ont envoyé leur plus brillant émissaire en la personne de Sophie Davant. Ils savaient qu'elle était ma préférée, ma corde sensible. Elle m'a parlé aussi doucement que possible, me poussant à réagir, me donnant les coordonnées d'un psychiatre qu'il fallait que j'aille voir rapidement, j'avais un problème, c'était assez classique dans mon cas et il n'était pas trop tard, promettez-moi que vous lui téléphonerez. Oui c'est promis, Sophie.

Je ne lui ai pas téléphoné. J'ai sombré dans le mutisme. J'étais comme asséchée. Mon avocat m'a annoncé que les enchères étaient déjà montées du côté d'Hégémonie, que nous étions proches du million d'euros. Il jubilait au téléphone, mais cette nouvelle ne m'a procuré aucun plaisir. C'était une information comme une autre.

Ces quelques jours m'avaient permis d'ouvrir les yeux sur la terrible réalité de mon existence. En dehors de mon travail et de mon fils, je n'avais rien. Je n'étais rien. Ma vie sentimentale était fine comme du papier à cigarette, je n'avais pas eu de relation sexuelle depuis dix longs mois.

J'étais pourtant pas mal, avant. Dans la moyenne haute. Mince, un mètre soixante-huit, un visage intense barré par des yeux noisette surmontés de sourcils épais, sensuels, structurés, que j'avais toujours refusé d'alléger et qui agrandissaient mon regard. Une chevelure brune flamboyante, c'est l'adjectif que ma coiffeuse utilisait pour me consoler de cette masse que j'avais du mal à dompter et tenais souvent relevée, piquée d'un crayon. J'aimais ce geste, ce souvenir adolescent : soulever la densité brune, la faire tournoyer, libérer l'épiderme de ma nuque et le laisser ressentir, vibrer, captiver parfois.

Je m'étais créé un profil sur plusieurs sites de rencontre, j'avais offert aux yeux du monde mon cou, mes sourcils, mon chignon désordonné. J'avais coché la case indiquant que je recherchais des rencontres sans lendemain. J'avais été submergée de propositions. D'hommes mariés, pour la plupart. Cela avait achevé de me convaincre de la médiocrité de la gent masculine.

La seule vraie relation que j'ai eue dans ma vie, c'était avec le père biologique de Louis. Une relation passionnelle qui a duré près de deux ans. Mais une relation impossible. Il n'a jamais su qu'il était père. Je n'ai pas cherché à savoir ce qu'il était devenu. Louis m'a questionnée à de nombreuses reprises sur ses origines, ma mère m'a questionnée à de nombreuses reprises sur le père de Louis. Elle a émis des pistes sérieuses, mais j'ai toujours refusé d'en dire plus. J'ai préféré une relation simple et exclusive mère-fils plutôt qu'un triangle invivable. J'ai choisi l'option famille décomposée plutôt que recomposée.

★

Le soir du onzième jour, j'ai été convoquée dans la salle des familles par le chef de service. Alexandre Beaugrand le bien nommé. La coqueluche de l'hôpital. La mèche versaillaise bien peignée, le sourire à tomber. Dans un autre contexte, j'aurais pu apprécier un tête-à-tête avec lui. Mais il avait la mine grave. Et nous étions dans une pièce au décor bien trop coloré pour être honnête. J'ai eu peur. Je me suis assise, muette, les yeux baissés, les bras croisés, les dents serrées sur mes lèvres, les mains recroquevillées. Tout en moi était fermé.

Alors le médecin m'a expliqué. Lentement. Choisissant ses mots. Mon monde a fini de s'écrouler. Louis ne montrait aucun signe de réveil. L'équipe médicale était très inquiète. Je ne suis plus certaine des termes employés. Louis était dans ce que l'on appelle couramment un état végétatif. Qu'est-ce que cela signifiait exactement ? Qu'il respirait, que certains réflexes fonctionnaient, que les électroencéphalogrammes montraient des signes d'encéphalopathie. Putain, parlez clairement merde ! J'ai commencé à perdre mon calme. Lui le gardait, il devait avoir l'habitude des parents au bord de la rupture. Ce qu'il voulait dire, c'est que le tracé n'était pas plat, donc on ne pouvait pas déclarer de mort encéphalique, mais on observait une sorte de bruit de fond anarchique, ça signifiait que les neurones de Louis avaient une activité totalement illogique. Le pronostic vital était toujours engagé. Il allait falloir attendre encore.

C'est à ce moment-là que j'ai hurlé, je crois. Ou bien était-ce au moment où il a prononcé le mot auquel je m'interdisais de penser depuis onze jours ? Mort. Louis pouvait mourir. J'ai demandé combien de temps il faudrait attendre encore pour savoir. Il n'a pas voulu me répondre. J'ai posé la question une deuxième, puis une troisième fois, haussant la voix à chaque passage. Ma respiration était désordonnée, je pleurais, je me passais les mains sur le visage, dans les cheveux, répétant inlassablement que ça n'était pas possible. Je devenais folle. Alexandre Beaugrand ponctuait ses interventions de « je suis désolé, madame, je ne peux pas vous répondre ». J'ai exigé qu'il me réponde, il ne pouvait pas me laisser comme ça, il avait bien une idée du temps nécessaire pour savoir. Il faudrait voir au jour le jour comment son corps et surtout son cerveau évolueraient. À chaque fois qu'il se passerait quelque chose de nouveau, cela permettrait de réévaluer sa situation. Oui mais si rien ne se passe ? Si rien ne se passe, dans combien de temps jugerez-vous que c'est foutu ? Putain répondez-moi !

Répondez-moi je vous en supplie, j'ai besoin de savoir. J'ai besoin de savoir.

J'ai su. Je me suis assise. Le cœur disloqué. Alexandre Beaugrand a posé sa main sur mon épaule. Je n'ai plus pu pleurer. Un mois. Dans un mois, si l'état de Louis était identique, les médecins se poseraient la question de la poursuite des soins et pourraient être amenés à décider d'arrêter d'entretenir artificiellement la vie de mon fils. Si dans un mois ils estimaient qu'il n'y avait plus d'espoir de récupération neurologique, ils décideraient de ne pas apporter de souffrance supplémentaire, de ne pas s'acharner de manière déraisonnable, indigne. Alors ils arrêteraient les machines. Un mois. Un long mois. Un tout petit mois. Mais nous n'en étions pas là. Courage. Patience. Je l'ai remercié, il m'a demandé une dernière fois si ça irait, je lui ai répondu oui bien sûr.

★

Je suis sortie de l'hôpital dans un état second. J'ai entendu distinctement un sifflement reconnaissable entre mille. Un sifflement de cow-boy, un sifflement aride de berger rappelant sa meute, un sifflement que j'ai toujours détesté. Je me suis retournée et je l'ai vue, debout, un poing sur les hanches, le regard dur. Ma mère. Je n'avais pas besoin de ça. Pas ce soir. Encore moins ce soir.

J'ai fait semblant de ne pas la voir et ai accéléré le pas. Elle m'a sifflée une petite dizaine de fois, comme si j'étais un vulgaire clébard. J'ai hélé un taxi et me suis engouffrée dans une berline aux vitres teintées. Je l'ai vue courir vers moi en faisant de grands gestes (ma mère a tout juste soixante ans et pète le feu). Je ne savais pas où aller mais je ne voulais pas rentrer chez moi. J'ai indiqué au chauffeur l'adresse d'un restaurant. Je venais sur un coup de tête de décider de fêter le dernier mois de mon fils chez un chef étoilé. Je passerai sur cette soirée au cours de laquelle j'ai dû essuyer pour la première fois de ma vie un refus de la part d'un serveur. Lorsque j'ai commandé une troisième bouteille d'un vin hors de prix, on m'a poliment demandé de régler ma note et de partir. Je l'ai extrêmement mal pris. Mes souvenirs sont assez flous, mais je crois bien qu'il a fallu que l'on me sorte du restaurant, et que j'ai dîné aux frais de la princesse — se débarrasser de cette poivrote sans essayer de la faire payer plutôt que de provoquer un scandale dans cet univers feutré.

J'ai eu du mal à trouver un taxi pour le retour. Plusieurs se sont arrêtés mais ont refusé de me prendre en charge, constatant mon état. Un chevalier servant répondant au doux nom de Mamadou m'a ramenée jusque chez moi, déposée devant l'entrée de mon immeuble.

— Vous êtes sûre que tout va bien, madame ?

— Bien sûr, tout va très bien, monsieur l'agent de taxi.

La voiture est repartie, et je me suis effondrée dans le sas entre le digicode et l'interphone.

6

Jour 30
RÉSISTE

Je me suis réveillée dans mon lit. Ma tête allait exploser et j'avais envie de vomir autant que de me cacher dans un trou de souris, les souvenirs de la veille me revenant peu à peu. La honte me terrassait. J'espérais ne pas avoir croisé de voisin, et je me suis très vite rappelé que je n'avais aucune foutue idée de la manière dont j'étais remontée jusque chez moi. Mon aventure – à ma connaissance, mais tout était flou, je devais bien le reconnaître – s'était achevée dans l'entrée de mon immeuble. Je me suis levée lentement. Ma tête s'est mise à tourner. J'ai réussi à faire quelques pas, à m'extraire de ma chambre et à gagner mon salon.

Sifflement, sursaut, retournement. Maman.

Un tablier de cuisinière autour de la taille, un manche d'aspirateur dans la main droite, le poing gauche sur la hanche – sa marque de fabrique et le signal de son impatience.

— L'état dans lequel tu es, ma fille, tu fais peur à voir.

— Bonjour maman. Qu'est-ce que tu fais là ?

— Je m'éclate, comme tu vois. Je fais un brin de rangement dans cette porcherie. Je me disais bien que tu avais dû te laisser aller, mais ce que je découvre va au-delà de mes espérances. J'étais à deux doigts d'appeler les deux nénettes de la télé qui viennent faire le ménage chez les cas désespérés.

J'ai jeté un coup d'œil dans la pièce, elle avait raison. Je ne pouvais pas prononcer ce « tu as raison » qui m'aurait arraché la bouche, alors je n'ai rien dit et me suis affalée sur mon canapé, saisissant un plaid et m'enroulant à l'intérieur.

— Ah, et au fait ne cherche pas ta vinasse, j'ai tout balancé.

— Tu as quoi ?

— J'ai tout jeté.

— Putain maman, c'est pas de la vinasse, tu viens de mettre à la poubelle pour plusieurs centaines d'euros.

— Surveille ton langage, ma chérie. Peu importe le prix, regarde-toi, tu ne peux pas continuer comme ça. Je reprends les choses en main.

— Non tu ne reprends pas les choses en main, tu vas me laisser tranquille. Si je veux me boire une petite bouteille de temps en temps, c'est mon problème.

Et tu n'es pas non plus ma femme de ménage. S'il te plaît, va-t'en, maman.

— N'y pense même pas. Je reste.

— Tu te fous de moi, là ?

— Est-ce que j'ai une trombine à plaisanter ? Tu sais ce qui aurait pu t'arriver hier ? Tu étais tellement saoule que n'importe qui aurait pu abuser de toi. Quand ce chauffeur t'a déposée et que tu t'es écroulée, tu avais tes clés sur toi, si un taré était passé par là, Dieu sait ce qu'il aurait pu te faire. Je t'ai attendue toute la soirée sur les marches de l'immeuble. Une pauvresse. Heureusement que tes voisins m'ont reconnue et ne m'ont pas jetée dehors. Je t'ai vue t'écrouler dans l'entrée et ça m'a fait mal. Ça me fait mal de te voir comme ça, Thelma. Ça fait plusieurs jours que je te suis à la trace. J'ai peur pour toi, je te vois dépérir, boire des litrons tout en maigrissant à vue d'œil. Je sais que tu passes tes journées à l'hôpital. Au début je me suis dit que c'était super ce que tu faisais pour ton fils. Mais là tu deviens une loque, tout le monde le voit. Ça ne va pas nous aider, que tu meures à petit feu. Si tu te laisses aller, comment veux-tu que Louis trouve la force de se battre ?

— Putain maman, tu comprends pas qu'il ne se réveillera jamais ! Tu veux que je me batte contre quoi ? Je sais me battre s'il y a un ennemi. Là il n'y a personne ! Ils ont arrêté les traitements et il ne s'est rien passé, bordel ! Rien ! Tu sais ce que ça veut dire ? Ça veut dire que s'il ne se passe toujours rien dans son cerveau d'ici un mois, ils arrêtent tout. Ils le débranchent. Ce sera fini. Il n'y aura plus rien. J'y suis jusqu'au cou dans le rien. Regarde-moi, qu'est-ce que tu vois, là ? Une pauvre fille qui n'a plus rien. Qui n'est plus rien.

Maman s'est approchée. Elle s'est assise sur le canapé tout près de moi. Elle a posé sa main sur mon épaule. C'était le premier contact physique entre elle et moi depuis une dizaine d'années, je crois. J'ai eu un mouvement de recul, mais j'ai laissé sa main, là.

— Ce n'est pas vrai. Tu as tort. Tu es beaucoup plus que tu ne le penses. Mais tu ne le vois plus. Tu dois sortir de cette spirale négative dans laquelle tu es entrée. Je suis là, moi. Louis est là et les médecins ne mentent pas. S'ils le gardent, notre petit homme, c'est qu'ils ont espoir. Tu es forte, Thelma. Je ne te l'ai pas dit depuis longtemps, mais je suis fière de toi. Je suis fière de la femme que tu es devenue.

— Bullshit.

— Arrête de penser à ma place, punaise ! Tu n'es pas dans ma tête alors tu me laisses parler, tu me laisses penser. Jusqu'à nouvel ordre, je m'installe chez toi.

Je me suis redressée, piquée au vif par une pointe acérée.

— C'est absolument hors de question.

— Je ne te demande pas ton avis. Je me suis fait faire un trousseau de clés pendant que tu dormais.

Je n'ai pas eu la force de me battre. Pas maintenant. J'ai laissé couler et je me suis recouchée sur le canapé. Ma mère s'est levée et je me suis assoupie, bercée par le ronronnement de l'aspirateur. J'avais treize ans, moi aussi. Et tellement mal au crâne...

★

Ce jour-là, pour la première fois depuis l'accident, je ne suis pas allée voir Louis. J'ai dormi toute la journée. Lorsque je me suis réveillée, ma mère s'affairait dans la cuisine et une odeur familière s'en dégageait. Une odeur de Sud.

Maman est originaire du sud-est de la France, et même si nous vivions à Paris, nous allions souvent en vacances sur la côte varoise, chez ma tante Odile, morte il y a cinq ans. Odette et Odile, la catastrophe de l'imagination, mais une vraie paire de sœurs, ces deux-là. Des jumelles. J'adorais ma tante Odile, qui nous préparait toujours de bons petits plats. Les soirs de 14 Juillet, nous avions droit à notre soupe au pistou, puis nous descendions depuis la vieille ville d'Hyères vers le centre et nous assistions au feu d'artifice, la bouche pleine de saveurs. Je pense que j'étais heureuse alors. J'ai bien compris où ma mère voulait en venir ce soir-là. Je reconnaîtrais l'odeur de la soupe au pistou entre mille. C'est un plat d'été, nous étions le 19 janvier. Tant pis, j'avais drôlement faim.

J'ai tout de suite remarqué la propreté de l'appartement. Ma mère n'ayant jamais été une fée du logis, je l'ai soupçonnée d'avoir fait appel à Françoise, la dame que j'emploie pour faire le ménage chez moi, mais je n'ai rien dit. Je me suis assise au comptoir de la cuisine. Deux assiettes, deux verres. Je m'apprêtais à dîner en tête à tête avec ma mère. Une horreur inconcevable quelques jours auparavant. Une incongruité de plus dans cette vie décidément sens dessus dessous. Ma mère m'a souri, m'a demandé si j'avais bien dormi et la tournure de sa question, associée à l'odeur entêtante du basilic, m'a projetée trente ans en arrière. Une madeleine de Proust instantanée. Je me suis revue dans la cuisine de notre appartement de la Butte-aux-Cailles, un chocolat fumant posé sur la table, le sourire de ma mère et cette question rituelle : « Il a bien dormi, mon petit chaton chaud ? » Ma mère m'a toujours appelée son petit chaton chaud. Elle n'avait pas prononcé ces mots depuis un temps infini.

C'était un jour de grandes premières. Un jour de résurrection, peut-être.

J'ai baissé la garde et j'ai répondu simplement oui maman, merci.

BREAKING NEWS

Bon alors je suis désolé parce que je vous ai complètement induits en erreur. Je crois que je suis vivant. Mal en point, mais vivant. Si on était sur BFM TV, un bandeau rouge afficherait « Breaking news : il est vivant ». Il faut dire que ça n'était pas facile de s'en rendre compte. À moi il m'a fallu du temps. Comment ça vous étiez au courant que j'étais vivant ? C'est nul si vous savez avant moi.

Et là vous vous demandez pourquoi je vous ai dit que j'étais mort ? D'abord vous avez mal lu. Je n'ai jamais dit que j'étais sûr d'être mort. J'ai pris des précautions oratoires, comme on dit quand on se la pète à parler comme dans un livre sur la mythologie grecque. J'ai toujours dit « je crois ». Et c'était vrai. Honnêtement je ne sais pas où j'étais pendant tout ce temps. Je vous l'ai dit, il y a eu les phares du camion, puis une sorte de trou noir et j'ai bien vu qu'ensuite je n'étais plus dans la vraie vie. Pourtant je continuais à penser, à réfléchir. Comme dans un long rêve mais tous les trucs bizarres des rêves en moins. *Pas d'image de moi en train de voler dans les airs en nageant le dos crawlé, pas de fantôme à trois têtes me poursuivant dans le château de la Belle au bois dormant, aucune relation sexuelle avec Jennifer Preston-Conwell, rien, niet, nada, juste des pensées normales, standards.*

Vous vous demandez légitimement comment je sais maintenant que je ne suis pas mort. J'aurais envie de vous répondre que j'ai vu le tunnel, une lumière blanche, que Dieu m'a appelé à lui, qu'il était beau, qu'il était grand, qu'il sentait bon le nuage chaud, et qu'il m'a dit ce n'est pas ton heure mon petit Louis, repars sur Terre et ne reviens que dans une centaine d'années. Sauf qu'en vrai ça n'est pas du tout comme ça que ça s'est passé. En vrai j'étais dans mon monde-de-rêve-qui-n'en-était-pas-un, je ne sentais plus mon corps, je n'étais plus qu'un esprit, qu'une pensée. Non je ne suis pas fou je vous assure, enfin je crois, mais vous avez compris maintenant qu'il faut se méfier de mes « je crois ».

Donc j'étais dans ce monde à part, et soudain j'ai commencé à sentir mon corps de nouveau. D'abord les doigts. Mes doigts sont redevenus réels, j'ai ressenti des picotements très désagréables. Vous savez, lorsque la nuit vous avez dormi trop longtemps sur votre bras, vous avez l'impression d'avoir un bois mort au bout du corps, la main ne répond plus et il n'y a plus qu'à attendre « les fourmis », le retour du sang dans le membre endormi. Parfois ça chatouille un peu, parfois ça fait tellement mal que vous avez l'impression que votre bras va mourir. Eh bien j'ai commencé à avoir cette sensation permanente de doigts en train de mourir sous le feu nourri de millions de fourmis. Ensuite la même douleur a émergé à différents endroits de mon corps, et j'ai compris qu'il allait falloir prendre mon mal en patience. Peu à peu je me suis habitué. Ou bien est-ce que l'intensité a diminué ? Je ne suis pas sûr. Ce dont j'étais certain, c'était que mon corps s'était réveillé mais qu'il ne bougeait pas. J'avais beau me concentrer de toutes mes forces, j'avais beau ordonner à ma paupière de s'ouvrir, à ma main de bouger, à ma langue de remuer, rien ne se passait. C'était à devenir dingue. Je me suis mis à pleurer. À hurler. Intérieurement bien sûr. J'étais dans une prison et j'étais seul. Après de nombreuses heures (des jours ?) de lutte, je me suis rendormi, je crois. Puis je me suis réveillé, je crois. Puis rendormi, je crois. Je vous passe les détails, mais je pense que ce petit manège a duré pas mal de temps.

Puis quelque chose d'inhabituel s'est produit. J'ai entendu quelqu'un parler. D'abord un son vague, lointain. Je me suis sérieusement demandé si j'étais en train d'arriver dans un au-delà auquel ni maman ni moi n'avons jamais cru. Puis je me suis dit qu'il était étrange d'accueillir les nouveaux venus par un « t'as fait la chambre 405 ce matin, Brigitte ? ».

Oh my God. Oh my God. Oh my God. Oh my God. C'est comme ça que les gens réagissent quand il se passe un truc dingue dans une série américaine. En langage SMS on dit OMG. Donc OMG OMG OMG OMG je crois que j'entends autour de moi.

Quelles conclusions tirer de ces paroles ?

Conclusion numéro un : je suis dans la chambre 405, ou pas loin de cette chambre 405.

Conclusion numéro deux : il y a deux personnes à proximité, dont une certaine Brigitte. Je ne connais pas de Brigitte à part le groupe de filles qui chante « Et maintenant battez-vous ». Est-ce un signe pour me dire qu'il faut que je m'accroche ? Bien compliqué comme signe. Est-ce que je vais avoir droit à un petit concert privé ? J'en doute.

Conclusion numéro trois : Brigitte ayant répondu de loin que non, elle n'avait pas encore fait la 405 mais qu'il n'y avait pas le feu au lac et que ce n'était pas sale, j'en ai déduit qu'il s'agissait de faire le ménage dans la chambre 405.

J'ai décidé d'attendre un peu. Enfin façon de parler puisque je ne pouvais rien faire d'autre. Entre-temps, je scrutais le moindre son. J'étais comme Ali Baba entrant dans la caverne merveilleuse, comme Harry Potter découvrant ses pouvoirs magiques, comme Cendrillon éblouie devant son carrosse, comme... OK vous avez compris l'idée. Chaque son était un trésor, j'étais excité comme une puce, même si je comprends bien qu'il n'y paraissait rien. De l'extérieur je devais être ultra poker face, le fameux visage impassible, impénétrable des bluffeurs professionnels. Je n'étais apparemment pas très expressif, *c'était le moins que l'on pouvait dire. Analyse rapide des sons environnants : des bips réguliers, une respiration (la mienne peut-être), un vague brouhaha de voix et de couverts, comme une cantine lointaine, la copine de Brigitte qui chantonne un air que je ne reconnais pas, s'interrompt et lance un « bonjour, docteur ». Je suis à l'hôpital. Ça aussi vous le saviez ? Merde, mais si vous savez d'autres trucs dites-les-moi parce que là ça commence à être lourd. Quand même je suis sûr que vous ne saviez pas que je m'étais mis à entendre de nouveau, vu que moi-même je viens de le découvrir.*

Plusieurs personnes sont entrées dans la pièce dans laquelle je me trouve, et le niveau sonore est monté d'un cran. Une voix masculine, deux voix féminines. Nouvelles. J'avoue je n'ai pas tout saisi, mais j'ai compris plein de choses malgré tout, et pas que du bon. On parlait de moi, mon prénom a été prononcé à plusieurs reprises. J'ai compris que mon état était stationnaire. Pas mieux, pas moins bien. Rien à dire de spécial. Stationnaire de quoi ? C'est là que j'ai entendu le mot. Coma. Ça m'a fait un choc. Coma ça veut dire qu'on est mal en point. Quand dans un film on annonce à quelqu'un « il est dans le coma », tout le monde se met à pleurer, s'écroule, hurle, donne des coups de poing sur le médecin qui finira bien par séduire la mère éplorée. J'ai tout de suite pensé à maman. Est-ce qu'elle savait que j'étais dans le coma ? Bien sûr qu'elle savait. Avait-elle déjà foutu son poing dans la tronche du médecin ? Ça aurait bien été son genre, et ça m'a fait sourire — intérieurement bien sûr, extérieur poker face.

À quel stade du développement de l'intrigue comateuse étions-nous ? J'ai eu mal pour maman. Moi, je ne me rendais pas compte que j'étais dans le coma, alors j'étais pas si mal après tout. J'ai voulu savoir depuis combien de temps j'étais là, mais comme on ne m'entendait pas c'était difficile de les convaincre de me le dire. Je me suis concentré très fort et à un moment une des dames a dit on est quel jour ? Tic-tac tic-tac tic-tac, j'allais savoir. La deuxième dame a répondu on est jeudi. Ça ne m'avançait pas des masses. Puis elle a repris et a dit : 19 janvier.

OMG OMG OMG OMG. La dernière fois on était le samedi 7 janvier. Qu'est-ce qui s'était passé entre-temps ? Là j'ai commencé à sérieusement imaginer l'état dans lequel maman et mamie Odette devaient être et je n'ai plus eu qu'un souhait : leur dire que j'entendais de nouveau, que ça allait bien se passer, que j'allais sûrement pouvoir leur parler bientôt.

J'ai attendu toute la journée. J'ai un peu dormi, beaucoup pensé, beaucoup écouté. J'ai attendu maman, j'ai attendu mamie.

Quand j'ai entendu quelqu'un dire bonne nuit dans le couloir, j'ai compris que la journée était terminée. Personne n'était venu me voir. J'étais seul.

Je me suis mis à pleurer.

Intérieurement bien sûr, extérieur poker face.

7

Jour 26
L'ENVIE

Il m'a fallu encore quelques jours avant d'entrer dans la chambre de Louis. Pas celle de l'hôpital Robert Debré, l'autre. La vraie. Depuis le 7 janvier, je n'avais pas pu y pénétrer. J'avais fermé la porte et ne l'avais plus rouverte. Ma mère avait bien compris l'importance de cette pièce dans ma reconstruction psychologique et n'y avait pas mis les pieds non plus, respectant mon rythme – pour une fois.

Puis je me suis sentie prête. Prête à affronter les posters de ses idoles, ses dessins tentant de reproduire ses héros favoris, son lit défait, le pyjama jeté en boule sur le bureau, son cahier de textes ouvert à la page du lundi 9 janvier. Je suis restée longtemps dans sa chambre. J'ai rangé, lentement, précautionneusement. J'ai décidé de laver le linge sale. En soulevant le matelas de Louis pour ôter le drap-housse bleu ciel, j'ai entendu un bruit sec. Un objet venait de tomber sur le parquet. J'ai ramené le matelas de nouveau vers moi pour voir s'il y avait autre chose, mais il n'y avait plus rien. Je me suis alors mise à genoux sur le sol et ai tendu le bras afin de récupérer ce qui avait glissé.

Il s'agissait d'un petit cahier broché format A5, dont on avait personnalisé la couverture à l'aide de stickers représentant les joueurs de football du moment. J'ai souri, et ouvert le cahier. Sur la page de garde était inscrite la mention :

Mon carnet des merveilles

L'auteur de ces mots était mon fils, j'ai reconnu son écriture serrée et toujours malhabile malgré son âge. Une caractéristique de certains enfants précoces, m'avait-on expliqué : la pensée allant toujours plus vite que la main, l'écriture est souvent peu soignée, pour ne pas dire bâclée. J'ai tourné la page et ai commencé ma lecture, retenant mon souffle.

Mon très cher, mon précieux carnet des merveilles,

Je te confie la liste de toutes les expériences que j'aimerais vivre avant de mourir : mes merveilles. C'est un peu comme une liste de rêves, sauf que pas vraiment puisque je n'y ai mis que des choses qui me semblent réalisables.

C'est une liste ouverte. Je la remplirai au fur et à mesure, quand je penserai à quelque chose, à quelqu'un, à un truc cool ou un truc plus profond. Comme je ne compte pas mourir tout de suite je t'ai choisi assez épais mon très cher, mon précieux carnet des merveilles. C'est Isa qui m'a donné l'idée. Elle est sur la liste ;))

Dormez bien mes petites merveilles !

Louis

Je ne m'attendais pas à ça. J'ai refermé le carnet, l'ai posé sur le bureau de Louis très vite, comme s'il allait me brûler les mains. Je me suis assise sur le tabouret qui lui faisait face et ai continué à le scruter à distance. Antoine Griezmann me souriait de toutes ses dents rassurantes. Après avoir lu le titre sur la première page, je m'étais dit que Louis s'emballait un peu en qualifiant de merveilles ces gars en short qui courent après un ballon. À l'intérieur du carnet, je pensais trouver des images de footballeurs semblables à celles de la couverture. À la place, je venais de débusquer un petit cahier de rêves, caché sous le matelas de mon fils et mentionnant un prénom dont je n'avais jamais entendu parler. Qui était cette Isa ? Je me suis sentie intruse. Mal à l'aise. J'ai eu l'impression de pénétrer dans un jardin secret dont j'avais forcé les grilles. J'ai tout de suite senti monter un irrépressible besoin de pleurer, mais je savais que ma mère n'était pas loin, et je ne voulais pas la voir débarquer dans la chambre de Louis. J'ai réussi à contenir mon émotion. J'ai fermé la porte. Je voulais rester seule.

Cela a duré de longues minutes. J'étais bouleversée. Que devais-je faire ? Je n'avais qu'une envie : lire la suite. Tourner les pages, explorer l'intimité de Louis, connaître les expériences qui seraient pour lui les plus précieuses. Et surtout, surtout, savoir si je faisais partie de ce carnet des merveilles. Comme cette Isa, dont j'ai été jalouse dès la première seconde. Mon fils m'avait-il incluse dans son avenir rêvé ?

Je n'ai pas cédé à l'appel du carnet. J'ai décidé de le remettre là où je l'avais trouvé et de réfléchir à tête reposée à la conduite à tenir. J'ai été mutique lors du dîner avec ma mère. Elle s'en est aperçue, bien sûr – elle s'aperçoit toujours de tout. J'ai eu peur qu'elle aille fouiner dans la chambre de Louis la nuit suivante, alors j'ai fait mine de lire un bouquin dont je n'ai jamais dépassé la page 8, attendant patiemment de l'entendre ronfler, puis je suis allée chercher le cahier et l'ai emporté dans ma chambre. J'ai passé plusieurs heures à tourner le problème dans tous les sens sans parvenir à me décider, puis je me suis endormie. Je n'ai pas lu le contenu du carnet, j'ai juste feuilleté très vite pour voir si le carnet était rempli, et il l'était. En tout cas sur plusieurs pages.

Au beau milieu de la nuit, je me suis réveillée en sursaut. J'avais fait un rêve étrange. J'étais assise à côté de Louis, dans sa chambre à la maison. Louis bâillait, s'endormait, mais je ne le laissais pas dormir, je lui lisais un livre et le rappelais à l'ordre à chaque fois qu'il allait sombrer. Puis la pièce se transformait en chambre d'hôpital, Louis dormait cette fois-ci. Je lui lisais le même livre, mais il ne bougeait plus, il ne réagissait plus. Je fermais le livre et mimais les scènes, cela n'avait aucun effet sur lui. Je continuais de mimer et je vieillissais. Lorsque j'ai eu soixante ans, Louis a ouvert les yeux et poussé un cri. J'ai lâché le livre et me suis aperçue que ce n'était pas un roman, ni un recueil de contes. C'était le carnet. Je me suis réveillée, en sueur.

Une petite graine avait été plantée, une idée insensée était en train de germer dans ma tête, et une phrase repassait en boucle, telle une obsession : « Louis n'est pas mort, Louis est dans le coma mais Louis est vivant, Thelma, tout est encore possible, il lui reste presque un mois pour se réveiller, il va se réveiller. » Le personnel médical continuait de répéter qu'il était sans doute totalement inconscient. En étaient-ils sûrs ? Non, ils ne pouvaient l'affirmer avec certitude. Alors c'est qu'il y avait une possibilité qu'il m'entende, qu'il ressente. J'allais m'y accrocher.

Je devais donner envie à mon fils de revenir, le faire saliver en lui montrant tout ce qu'il était en train de manquer en restant dans le coma. Lui donner envie de vivre. C'était un projet fou, mais réalisable. J'en étais convaincue.

Les protagonistes ? Un sportif : Louis. Un coach : moi.

La discipline olympique ? La sortie du coma en nage libre.

La carotte, la motivation ? Tout ce qui était noté dans le carnet. Ce carnet était un concentré de futur. Ce carnet était rempli d'expériences que Louis rêvait de vivre, de promesses de joie, de « trucs cool » comme il l'écrivait lui-même. Ce carnet était une promesse de vie.

Le mode opératoire ? J'allais partir à la rencontre des rêves de mon fils, les vivre pour lui, les enregistrer, en audio et en vidéo, et les lui faire partager. J'allais en prendre l'engagement solennel. Je ne pourrais ni revenir en arrière ni le décevoir. Je ne savais pas s'il y avait un ordre défini, et je ne voulais pas que tout ait l'air préfabriqué. Il faudrait donc que je découvre le programme au fur et à mesure.

Le résultat escompté ? Que mon fils se dise merde c'est quand même pas possible que ce soit ma daronne qui fasse tout ça à ma place. Et qu'il ouvre les yeux.

J'ai frissonné. Je me suis levée et j'ai regardé le ciel. Étais-je en train de devenir folle ? L'espace de quelques instants, j'avais occulté la noirceur des nuages qui pesaient sur mon fils. Mais la nuit était lourde, l'issue insaisissable. Louis ne reviendrait peut-être jamais, je le savais. Je me suis mise à pleurer, silencieuse, immobile. Mon obstination était sans doute absurde, mais je ne pouvais me résoudre à laisser partir mon fils sans lui avoir permis de réaliser tous ses rêves d'enfant.

Combien de temps me restait-il ? Moins d'un mois maintenant. J'avais déjà perdu de précieuses journées. Il était plus que temps d'entamer cette course contre la montre et pour la vie.

J'ai tourné la première page et découvert ce qui m'attendait.

J'allais sortir de ma zone de confort, je le savais. J'étais prête.

Pour Louis. Et sûrement un peu pour moi.

8

Jour 25

TOKYO, C'EST LOIN

À l'issue d'une nuit sans sommeil, j'ai fait ma valise et réservé un billet hors de prix pour Tokyo. Il ne restait plus que la classe affaires, mais au vu des dernières nouvelles de mon avocat sur l'évolution de la négociation avec Hégémonie, j'aurais même pu me payer la première classe...

Je suis passée dire au revoir à Louis, et je lui ai expliqué le projet fou qui s'était dessiné dans mon esprit. Louis était toujours aussi beau, aussi calme, aussi serein, aussi immobile, mais ce matin-là quelque chose d'inhabituel s'est produit. Je connais par cœur mon fils, et depuis qu'il est sur ce lit d'hôpital, rien dans son visage ne m'est étranger. Je pourrais réciter son nez délicat, la naissance de ses cheveux, ses paupières si fines, ses sourcils que je remets en ordre à chaque toilette qui lui est administrée. Après la description enflammée de mes prochaines semaines, mon cœur s'est serré et emballé à la fois. Au coin de l'œil droit de Louis, une larme s'est formée, puis a coulé le long de sa tempe. Louis a pleuré, j'en suis certaine. J'ai senti mon cœur cogner et j'ai poussé un cri, provoquant l'irruption de deux infirmières. J'ai voulu leur faire partager mon enthousiasme, les prendre à témoin, quelque chose venait de se produire sur le visage de mon fils ! Mais le soufflé est retombé. L'une des infirmières – une de celles que je n'aime pas, et dont je ne retiens ni le nom ni l'apparence (je me surprends à chaque fois à me demander de qui il s'agit, avant de la reconnaître) – m'a rétorqué assez sèchement que ce genre de chose arrivait parfois, que ça n'était certainement pas une larme mais peut-être un peu d'eau qui restait sur une paupière encore mouillée car la toilette n'était pas si lointaine, et que s'il s'agissait d'une sécrétion cela ne voulait rien dire. « Tous les paramètres de votre fils sont stables, je suis désolée, madame. » Je me suis assise et j'ai regardé Louis, fixement. Attendant la suite. Pleure s'il te plaît, mon amour. Montre-leur que je ne suis pas folle, montre-leur que tu te bats.

J'ai tellement souhaité qu'il se réveille. Tant qu'un gramme d'oxygène circulera dans mes poumons et dans les siens, je suis décidée à me battre. J'ai pris cette décision irrévocable le lendemain de l'annonce faite par le docteur Beaugrand. Au fond, cette décision avait toujours été là, en moi depuis l'accident. Mais j'ai dû être secouée par ma propre mère, et surtout par ce décompte de jours sinistre pour qu'elle m'apparaisse comme une évidence. Il a fallu que j'abandonne mes autolamentations et mes autoflagellations pour pouvoir regarder l'espoir en face et ne plus le lâcher.

Ce mardi 24 janvier, j'ai rejoint l'hôpital dès l'aube et passé un pacte avec Sophie Davant. Elle m'a écoutée religieusement tout en me regardant comme si j'étais une extraterrestre. Puis elle a éclaté de rire en me disant que mon idée était géniale, et que oui bien sûr elle m'aiderait autant qu'elle le pourrait. Je l'ai serrée dans mes bras, ça l'a surprise mais elle s'est laissé faire. Elle m'a demandé si elle pouvait en parler à d'autres infirmières, notamment à sa copine qui ressemble comme deux gouttes d'eau à Catherine Laborde (ça ne s'invente pas), j'ai accepté tout en me disant que cette entente entre TF1 et France Télévisions était de bon augure pour mon projet qui contenait somme toute une importante part audiovisuelle. J'avais fourré dans mon sac à main la minicaméra d'action de Louis, dont je comptais éplucher la notice d'utilisation dans l'avion pour Tokyo. Tokyo, c'est loin, et le vol de douze heures allait me laisser le temps de devenir une camerawoman professionnelle. C'était du moins ce que je me disais à ce moment-là, bien peu consciente de ma nullité crasse en matière de montage filmique.

★

À 20 h 35, à quelques mètres de l'avion, j'hésitais encore sur la conduite à tenir. Bien sûr, j'étais convaincue du bien-fondé de la mission que je venais de m'attribuer. Bien sûr, j'étais excitée par ce qui m'attendait, par le voyage physique autant qu'émotionnel qui s'ouvrait à moi. Bien sûr, je savais aussi que ma mère serait présente pour mon fils. Mais ne plus pouvoir le toucher, l'embrasser durant ces quelques jours me semblait une épreuve terrible. J'étais très anxieuse à l'idée que son état ne se dégrade pendant mon absence.

Maman – qui depuis quelques jours ne me lâchait pas d'une semelle – avait bien senti ma fébrilité, mais j'étais parvenue à lui cacher ma découverte et ma décision. Rien ne m'horrifiait plus que la perspective d'avoir un chaperon qui m'aurait suivie comme mon ombre.

J'ai attendu le dernier appel pour l'embarquement, j'ai vérifié que j'avais bien avec moi le précieux petit carnet, ouvrant mon sac à main et caressant la couverture plastifiée à la gloire de Neymar, et je me suis finalement dirigée vers l'hôtesse de l'air.

Grande respiration, grand sourire, installation siège 6A. Hallucination sur la taille du siège, incompréhension sur le mécanisme permettant de s'allonger (c'était la première fois que je voyageais en business class), petite serviette chaude, sourires affables du personnel de bord, verre de champagne auquel je pouvais succomber sans subir les reproches de ma mère, qui me faisait vivre un enfer nutritionnel incluant l'absence totale d'alcool, depuis qu'elle m'avait ramassée à la petite cuillère le soir de l'annonce du docteur Beaugrand. Agréable sentiment de me faire chouchouter.

J'étais bien, juste bien. Ça ne m'était pas arrivé depuis dix-sept jours. Non, depuis beaucoup plus longtemps, à la réflexion.

J'ai levé mon verre. À tes rêves, mon fils.

II
LA CHAMBRE DES MERVEILLES

9

Jour 24
DÉFENESTRATIONS

— *Arigatō gozaimasu !*

— Alligator... gauze-aïe-mass !

Cette langue est un enfer. Même avec mon petit guide de japonais pour les nuls dans la main droite, je ne parvenais pas à identifier les sonorités. Dans l'avion, j'avais essayé de potasser les quelques éléments indispensables comme ce « merci beaucoup » caractéristique qui est employé à toutes les sauces, mais je m'étais endormie. Il faut dire qu'un vol de nuit, comme son nom l'indique, ça se passe la nuit. J'aurais dû me douter que je m'étais fixé trop d'objectifs, et que sous l'effet du champagne et de la fatigue, j'allais dormir la moitié du trajet. Au moins, j'étais en forme pour la soirée. Avec huit heures de décalage horaire, je me levais tout juste mais le soleil se couchait déjà sur Tokyo.

À l'aéroport, tout était traduit en anglais. Après avoir récupéré mon bagage et retiré quelques milliers de yens au distributeur automatique, j'ai facilement trouvé un taxi. J'ai montré au chauffeur l'adresse de mon hôtel sur mon smartphone, il a acquiescé et nous avons roulé une quarantaine de minutes. Le taxi, c'était déjà le dépaysement total. J'ai cru que ce premier taxi était une exception, mais je me suis vite rendu compte qu'il était la règle. Le conducteur portait des gants blancs, était habillé comme s'il allait à un mariage, et isolé grâce à une cloison transparente de type hygiaphone. Il m'a tendu une serviette humide enroulée dans un sachet plastique. Les sièges étaient recouverts d'une sorte de napperon que ma grand-mère n'aurait pas renié. Un peu lunaire, kitsch, aseptisé, super efficace pour changer d'atmosphère.

J'ai pensé à Louis immédiatement, à sa passion pour les dessins animés japonais. C'était finalement très logique que sa liste de merveilles commence à Tokyo. Il m'avait demandé à plusieurs reprises de l'y emmener, mais je n'avais pas trouvé le temps de le faire. Trop de boulot, des vacances réduites au strict minimum. Là, dans ce taxi tokyoïte qui sentait bon le parfum de supermarché, je me suis promis de l'emmener au Japon. En vrai.

J'ai choisi un hôtel de luxe dont une rapide recherche sur le Net m'a indiqué qu'il s'agissait du must de chez must. Si le film de Sofia Coppola *Lost in*

Translation avait été tourné en 2017, il l'aurait été dans cet établissement sans aucun doute, m'avait appris une blogueuse influente. Argument imparable qui m'avait séduite. La nuit n'y était pas donnée, mais dès les premières secondes je n'ai pas regretté mon choix. L'hôtel était situé dans un quartier calme – Toranomon Hills –, entre les quarantième et soixantième étages d'une tour qui surplombait la ville et bénéficiait d'une vue extraordinaire sur la Tokyo Tower, cette copie rougeoyante de notre tour Eiffel nationale. Le lobby était soigné, raffiné, design, original. Grandiose. Je commençais à être excitée comme une puce et à me dire que j'allais adorer Tokyo.

Ma chambre était ahurissante. Un pan de mur entier n'était pas un mur, mais une vitre allant du sol au plafond. J'étais au quarante-septième étage et j'avais la sensation d'être immergée dans la ville. Aucun vis-à-vis, juste une vue étourdissante. J'ai éteint les lampes de la pièce afin de ne plus être gênée par aucun reflet. La nuit était tombée, les lumières de la ville scintillaient à quelques dizaines de mètres en dessous de moi. Je n'ai jamais vécu une telle expérience. Bien sûr, je suis déjà montée au sommet de la tour Montparnasse à Paris, mais j'étais alors avec des dizaines de touristes, au beau milieu de flashs et de cris hystériques. Là, j'étais seule, dans le silence le plus complet, dans le noir le plus total. Je me suis collée à la vitre et ai observé de tous mes yeux.

J'ai pensé à Amélie Nothomb. Dans *Stupeur et Tremblements*, elle décrit si bien cette sensation incroyable de plonger dans Tokyo, cette attraction vertigineuse pour le vide lumineux. Elle parle de défenestration. Cette sensation grisante de me défenestrer, je la vivais, je ressentais les vibrations de cette ville inconnue.

J'ai allumé la caméra de Louis et j'ai filmé de longues minutes, décrivant à voix haute autant que possible. Il faudra que tu viennes voir ça, mon amour. Merci de m'y avoir amenée.

Combien de temps suis-je restée ainsi ? Suffisamment en tout cas pour pouvoir cocher l'une des merveilles que Louis avait notées :

    – Admirer les lumières de Tokyo depuis le sommet d'un gratte-ciel.

J'étais tellement soufflée par la beauté du lieu que j'ai finalement décidé de passer ma soirée à l'hôtel. Le dernier étage était occupé par une piscine elle aussi complètement dingue, elle aussi entièrement vitrée, et j'ai pu me défenestrer à loisir, les pieds dans l'eau, sirotant un thé chaud. J'ai cru un instant toucher du doigt le paradis sur Terre. Un instant seulement.

L'instant d'après, je dînais au restaurant situé trois étages en dessous, avec la même vue saisissante. Depuis mon arrivée quelques heures auparavant, je me répétais que finalement c'était agréable d'être seule, que je pouvais organiser mon temps comme je l'entendais. Je ne sais pas si je le pensais vraiment ou si je tentais de m'en convaincre. Toujours est-il qu'attablée au sommet de la ville en compagnie de mes guides de Tokyo, entourée de couples qui s'offraient un dîner romantique, je me suis soudain sentie mal à l'aise. J'ai parcouru la salle du regard, vérifiant si j'étais l'unique table *single*. Il y en avait une deuxième, à l'autre bout du restaurant. L'honneur était sauf. Un homme apparemment, au vu de la tenue vestimentaire et de la silhouette. Mais à cette distance et avec les lumières tamisées, j'avais du mal à y voir clair.

Je me suis levée et suis allée aux toilettes. Les toilettes japonaises, autre expérience de la liste de Louis, que j'avais déjà cochée dans ma chambre. Louis avait écrit :

– *Appuyer sur tous les boutons des toilettes japonaises.*

Je n'ai pas été très fan du siège chauffant et du petit jet dirigé sur le derrière, en toute honnêteté. J'ai toujours eu peur des toilettes avec une composante électronique, quelle qu'elle soit. Même si j'imagine que les dysfonctionnements sont très rares, j'ai toujours la crainte que quelque chose déraille, que le jet soit mal orienté et me percute – vision d'horreur – le visage, ou bien inonde mon chemisier. Bref, je préfère de loin ma bonne vieille cuvette parisienne.

En regagnant ma table, j'ai jeté un œil à l'homme seul que j'avais aperçu de loin, et je me suis figée. Ce n'était pas un homme. Je me suis approchée et j'ai poussé un cri étouffé, qui a résonné dans cette atmosphère feutrée.

— Maman ? Qu'est-ce que tu fais ici ?

— Bonjour, ma chérie. Quel lieu hallucinant, n'est-ce pas ?

— Tu n'as pas répondu à ma question. Putain, maman, qu'est-ce que tu fais ici ? Comment as-tu su que j'étais là ?

— Tu me sous-estimes, mon petit chaton chaud. J'ai mes méthodes, tu sais. Tu devrais être plus discrète quand tu exposes tes projets aux infirmières, et aussi plus créative dans les mots de passe de tes boîtes mail. Très bon choix d'hôtel, en tout cas.

Ma mère est une geek. Une accro aux nouvelles technologies. Elle a soixante balais, mais elle est bien plus douée que moi. C'est l'une des raisons pour lesquelles Louis l'a toujours adorée. Une mamie geek, c'est la classe, me répète-t-il souvent. Moi, je trouve que c'est la poisse.

— Maman, tu n'as pas les moyens de te payer un tel hôtel ni un tel voyage, à quoi est-ce que tu joues ?

— Je dois dire que les douze heures de vol en classe économie, ça m'a donné un de ces torticolis... Je t'enviais, toi qui étais en business !

— Tu veux dire que tu étais dans le même avion ?

— Bien sûr, mon petit chat. Je me suis présentée au comptoir de l'aéroport, et j'ai saisi un désistement de dernière minute. Je t'avais bien dit que je ne te lâcherais plus d'une semelle, et maintenant je l'ai promis à Louis. Mais tu as raison, je n'ai pas les moyens de payer cet hôtel… heureusement que tu m'invites.

— Je te demande pardon ?

— Le gentil garçon de l'accueil a monté mes bagages dans ta chambre et m'a donné une clé. N'oublie pas que nous avons le même nom de famille. J'ai juste mentionné que j'étais un peu en retard, que ma fille chérie était déjà arrivée dans la chambre que nous partageons, j'ai tendu mon passeport et le tour était joué. J'ai dit tout ça en anglais avec mon accent de chèvre, tu aurais été fière de moi. Ne t'inquiète pas je me ferai toute petite.

C'est ainsi que je me suis retrouvée à partager mon lit *king size* et ma chambre de rêve avec ma mère, ses manies et ses ronflements sonores.

MOMMY ROCKS

J'adore j'adore j'adore j'adore j'adore j'adore.

J'ai toujours du mal à y croire, mais je suis fan de l'idée de ma mère.

Quand elle est venue me l'expliquer, je dois vous dire que je suis passé par un tas de sentiments contradictoires. D'abord je me suis senti un peu bizarre. Elle m'a dit qu'elle ne jugerait pas ce que j'avais noté dans le carnet, que si ça y figurait alors elle le ferait. Qu'elle allait me donner envie de me surpasser pour la rejoindre et réaliser tous mes rêves. Si je n'avais pas été dans cet état, j'aurais dit non c'est sûr. Ce carnet, c'est un truc personnel. Là, comme de toute façon je ne pouvais pas protester, je l'ai écoutée. Et finalement je me suis dit qu'il fallait qu'elle m'aime sacrément pour faire ça. Ça m'a fait du bien de palper ses sentiments, de l'entendre me parler comme elle le faisait. Elle ne m'avait jamais parlé comme ça, avant. Mais ça m'a fait mal pour elle, aussi. Je me suis dit qu'elle devait drôlement souffrir. J'ai compris qu'elle avait claqué la porte d'Hégémonie de manière théâtrale et qu'elle allait toucher un petit pactole, mais je sais à quel point le travail est tout pour elle, alors je l'ai imaginée seule dans le salon en train de se morfondre et j'ai eu mal. Tout de suite après j'ai vu la scène où mamie lui dirait « on se secoue, on se laisse pas aller là-dedans, c'est pas bientôt fini ces jérémiades, purée ? » (oui mamie Odette dit « purée », « punaise », et « meeeerrrcredi », et tout un tas d'expressions d'il y a deux siècles)... et là je me suis remis à sourire et je ne me suis plus arrêté parce que j'ai commencé à me représenter maman vivant mes rêves.

Je me suis souvenu peu à peu de ce que j'avais écrit dans ce carnet, et rien que de l'imaginer dans certaines situations, j'étais plié de rire. Intérieurement bien sûr, extérieur toujours poker face. Enfin pas si poker face que ça. Je n'arrêtais pas de m'esclaffer en silence, et à un moment maman m'a coupé dans mon fou rire en poussant un cri. Apparemment j'ai versé une larme. Pour moi aussi c'était un truc de fou. Est-ce que les infirmières avaient raison, est-ce que maman avait rêvé, ou bien est-ce que mon rire interne frénétique avait enfin déclenché une réaction visible ? J'ai senti une sorte de vague de fond d'espoir et de joie m'envahir. Ça a continué toute la journée, et ça ne m'a plus lâché depuis.

J'ai entendu maman expliquer tout le topo de son idée à Charlotte, son infirmière préférée qu'elle appelle toujours Sophie Davant, soi-disant pour que je me la représente bien alors que j'ai jamais entendu parler de

Sophie Davant. Charlotte était pétée de rire aussi, maman lui a donné un iPad pour qu'elle puisse m'envoyer des vidéos du Japon, puisqu'elle commence les épreuves par les premières pages que j'ai remplies, celles sur Tokyo. Je dis les épreuves parce que je sais que mes rêves à moi, ça peut facilement devenir Koh-Lanta pour maman. Et c'est ça qui est trop bon.

La désillusion du 19 janvier, ce premier jour où j'ai été conscient et où personne n'est venu me voir, je peux vous dire que c'est du passé. Je sais maintenant que maman est là, et se bat. Je sais que mamie est là aussi. D'ailleurs il faut que je vous raconte le clou du spectacle, qui a achevé de me tordre en deux. Quelques minutes après maman, mamie Odette est venue me voir, elle a discuté avec Charlotte-Sophie Davant l'air de rien, mais je sentais bien que mamie était dans ses grands jours de fourberie. Elle a fait comme si elle était très au courant du projet de maman, alors que moi je savais qu'elle n'en avait aucune idée. Mamie est une maligne. Alors Charlotte lui a tout balancé de manière très naturelle, et mamie a reçu les infos de manière très naturelle aussi.

Quand Charlotte est sortie de la chambre, mamie s'est approchée et m'a glissé à l'oreille qu'elle ne risquait pas de laisser maman partir toute seule dans un pays aussi hostile et aussi lointain, qu'elle était désolée de devoir me quitter quelques jours, mais qu'elle était sûre que je comprenais. Que bien sûr il ne fallait rien dire à maman, qu'elle allait la suivre à distance. Tu peux me faire confiance, mamie, je serai muet comme une tombe. Façon de parler, même si elle m'a achevé avec ça. Si j'avais été dans mon état normal, j'aurais eu mal au bide tellement j'avais rigolé toute la journée. J'aimerais être une petite souris juste pour voir la tête de maman quand elle va voir débarquer mamie.

J'adore ma mère, j'adore ma grand-mère, elles sont au top. J'attends avec impatience le récit de leur virée tokyoïte, ça va déménager du poulet.

10

Jour 23
TOUT SUR MA MÈRE

Aidée par l'absence de sommeil due au décalage horaire et aux sons étranges émis par ma voisine de lit, j'ai réfléchi toute la nuit. À ma vie. À ma mère. À nous.

Depuis un temps incalculable j'étais Thelma, la pseudo-rebelle en lutte contre tout et rien, en action, en réaction. Ça n'est pas pour le film des années 90 que ma mère m'a nommée Thelma, je suis bien trop vieille pour cela. Je suis née en 1977, au moment même où Thelma Houston caracolait en tête des ventes avec le méga tube international « Don't Leave me This Way », dont ma mère Odette était une fan absolue. Bien sûr, quand les gens de nos jours entendent mon prénom, tout le monde pense au film, à Susan Sarandon et Geena Davis. Lorsque le *Thelma et Louise* de Ridley Scott est sorti au cinéma, j'étais une adolescente éblouie, transcendée, je me suis identifiée à cette histoire de femmes fortes et sexy à la fois, qui est devenue ma référence absolue, une sorte d'idéal féminin. Moi qui n'ai jamais cru en Dieu, j'y ai vu une sorte de signe du destin : ce prénom était désormais lié à un symbole bien plus intéressant qu'un vieux 45-tours disco. Je sais bien que le film ne se finit pas très bien, mais pour moi la trace laissée est positive. Thelma et Louise sont des symboles de liberté de choix féminin, de femmes qui ne doivent rien aux hommes, qui n'en attendent rien et se débrouillent seules.

Lorsque je suis tombée enceinte, lorsque j'ai sciemment décidé de garder l'enfant et de l'élever sans père, j'ai espéré avoir une fille et la prénommer Louise. Mais voilà, Louise était un garçon. C'est ainsi, et c'est très bien comme ça. Louis est le seul homme qui compte dans ma vie.

Ma mère m'a élevée en solo, elle aussi. Odette est une soixante-huitarde qui s'est toujours battue pour disposer de son corps, pour sa liberté de penser, et je l'ai admirée pour ça. J'ai grandi dans le souvenir idéalisé d'un père absent, mort au cours d'une manifestation contre le démantèlement de l'industrie sidérurgique. J'avais moins d'un an, et la figure de ce père intouchable, irremplaçable, a balayé tout espoir de vie de famille. Ma mère a perpétué sa mémoire de syndicaliste, et d'aussi loin que je me souvienne, je l'ai toujours vue en lutte. Elle n'a laissé aucune porte ouverte dans sa vie pour un homme. Elle a noyé son chagrin dans ses combats, et dans son quotidien d'institutrice engagée en zone d'éducation prioritaire. La réussite pour tous, ma chérie. Qu'est-ce que j'ai pu l'admirer ! Qu'est-ce que j'ai pu arpenter les rues avec elle ! Je me souviens de ces défilés du 1er Mai, d'abord sur ses épaules, quelques années plus tard tenant un bout de banderole, puis mon propre drapeau. J'étais fière d'elle, fière de moi, fière de servir la mémoire de mon père.

Puis est arrivée mon adolescence. Mes angoisses, mes hontes, ma volonté farouche de rentrer dans le rang, de m'asservir comme tout le monde à la dictature des marques, des entreprises, des princes et des princesses américaines, de la beauté stéréotypée. J'en avais assez des pulls informes à l'effigie de Che Guevara, des coupes de cheveux maison, des baskets usées jusqu'à la corde, de ce refus du monde capitaliste, de cette vie alternative qui me barrait l'accès au groupe des filles cool du collège, qui suscitait les quolibets et le mépris des garçons de mon âge, si séduisants dans leurs Nike Air Jordan, leurs pulls Poivre Blanc trop larges et leurs survêtements Adidas dézippés au niveau des chevilles.

Je n'ai pas compris les rejets en bloc de ma mère, je n'ai pas accepté qu'elle me refuse cette vie normale. Alors je me suis mise à la détester farouchement et à faire systématiquement l'inverse de ce qu'elle aurait souhaité pour moi. J'ai haï sa dégaine de fil de fer osseux, ses jambes arquées flottant dans ses jeans usés, sa manière de fumer ses cigarettes en les tenant entre le pouce et l'index, ses cheveux cendrés retenus par cette éternelle pince ton sur ton, ses sifflements de cow-boy, son regard dur et ses mots désobligeants, sa désapprobation de mon mode de vie. Je suis devenue tout ce qu'elle abhorre et j'ai tout fait pour cela. Dans ses yeux, je suis une mère irresponsable, brûlant mes plus belles années sur l'autel de la réussite professionnelle, obsédée par le chiffre d'affaires d'une entreprise multinationale qui n'hésite pas à délocaliser, vendant des produits de pure superficialité.

Le seul lien qui est resté entre nous, c'est Louis. Louis a toujours été autorisé à voir sa grand-mère quand il le souhaitait. Toujours. Question de principe, de racines. Et nous avons conservé un brunch mensuel tous les trois. Qui devait avoir lieu ce fameux samedi 7 janvier.

Après cette longue et intense nuit de réflexion, j'ai finalement décidé d'accepter mon sort. Ma mère était là, avec moi, à dix mille kilomètres de Paris. Et je m'étais engagée auprès de Louis à suivre à la lettre ce qui était inscrit dans son petit carnet des merveilles.

Concernant les expériences japonaises, Louis avait établi une liste précise, précédée de l'intitulé, qui résumait le tout :

Vivre une journée de ouf à Tokyo
avec la personne que j'aime le plus au monde
(pour le moment maman).

Je dois dire que le « pour le moment maman » m'a fait tout drôle. J'étais parvenue à le digérer, mais la simple idée qu'il puisse considérer aimer un jour quelqu'un plus fort que moi avait égratigné mon petit cœur fracturé – et mon solide ego. Puis je m'étais souvenue que moi aussi, lorsque j'avais son âge, je ne pouvais pas me douter que j'allais l'aimer lui bien plus fort que tous les autres, alors j'avais ravalé ma fierté et étais passée outre cette petite parenthèse. J'avais initialement considéré que je cocherais la case en étant seule, puisque j'allais passer ma « journée de ouf » à Tokyo avec « la personne que j'aimais le plus au monde », c'est-à-dire Louis. Réflexion faite, c'était une entorse aux règles du jeu. Louis avait stipulé que les expériences devaient être vécues à deux, c'était ce qu'il voulait dire. Or il fallait bien avouer qu'à part Louis, il n'y avait personne que j'aimais vraiment... c'était triste, mais c'était comme ça. La suivante sur la liste de mes amours potentielles, c'était ma mère, j'étais obligée de le reconnaître.

Là, allongée dans ce grand lit auprès d'elle pour la première fois depuis mes quatorze ans, j'ai pris conscience du vide de cette « liste des personnes que j'aime ». Je ne suis pourtant pas asociale, j'ai beaucoup de connaissances avec lesquelles passer une bonne soirée, mais je n'ai pas vraiment d'amis. L'amour et l'amitié nécessitent des efforts que j'ai décidé de ne plus faire, il y a longtemps. Lorsque j'ai quitté le père de Louis avant qu'il ne sache qu'il allait devenir père. Depuis l'accident, je pouvais compter sur les doigts d'une main les personnes ayant tenté de me joindre pour prendre des nouvelles. Je ne les avais pas rappelées. J'ai de nombreux amis sur Facebook, beaucoup de copains et copines affichés dans la vie réelle, mais pas d'ami véritable. Je n'en ai pas été malheureuse, cela a été mon choix. Mes priorités ont toujours été claires. Élever mon fils et réussir ma carrière.

Ma tante Odile n'a jamais eu d'enfant, à son grand désespoir. Ma seule famille à présent, c'est Louis et maman. Je me suis redressée dans le lit. Nous avions laissé les rideaux ouverts, la lumière blanche de la ville baignait la chambre d'un éclat fantomatique. J'ai observé ma mère dans son sommeil. Elle semblait apaisée. Son visage bien moins dur que lorsqu'elle était réveillée. Je l'ai trouvée belle. D'une beauté peu ordinaire, anguleuse, opiniâtre. J'ai reposé ma tête et j'ai continué à la regarder. Je me suis dit qu'au final Louis serait sûrement très heureux que je passe cette fameuse journée de ouf avec sa grand-mère.

Lorsque je le lui ai proposé, à son réveil, j'ai vu une lueur nouvelle briller dans ses iris bleu acier. Elle ne s'y attendait pas. Elle pensait sûrement devoir me

suivre tel un agent secret, fulminant contre ces satanés Japonais, me maudissant à voix haute, et voilà
que je lui offrais une tout autre perspective. Elle m'a
simplement dit merci, a baissé les yeux pour dissimuler son émotion, puis m'a lancé « alors par quoi on
commence ? ». Je lui ai répondu que j'espérais qu'elle
avait le cœur bien accroché parce qu'on avait du pain
sur la planche. Elle a éclaté d'un rire joyeux que je
ne connaissais plus.

Et nous sommes sorties, dans la singulière tiédeur
de ce jour d'hiver à Tokyo.

11

Jours 23 à 22
MA MÈRE EN SOUBRETTE
DANS UN KARAOKÉ

— Anniiiiie aime les suceeeeetteees, les sucettes à l'aniiiiiiis…..

Je crois que l'image surréaliste de ma mère hurlant cette chanson qu'elle déteste, entourée de Japonais hilares scandant des « *kanpai !* » à chaque fin de phrase et déguisée en soubrette coquine restera gravée sur ma rétine à jamais.

Évidemment, j'ai pensé à immortaliser cet instant magique sur pellicule virtuelle. J'ai eu du mal à filmer car j'étais secouée de crises de fou rire qui m'empêchaient de stabiliser l'image. À un moment, un de nos compagnons nocturnes s'est emparé de la caméra, ses amis m'ont tendu un deuxième micro et m'ont poussée vers la miniscène de ce karaoké de Shibuya, le quartier branché-qui-ne-dort-jamais. Ma mère, qui d'ordinaire ne boit pas et qui avait enchaîné les verres d'umeshu – une sorte d'alcool de prune addictif –, m'a hurlé qu'elle était extrêmement heureuse de partager ce duo avec moi, me prenant par le cou telle une ivrogne à la fête de la bière d'un village alsacien, et poussant plus loin encore ses beuglements lorsqu'un « Que je t'aime » des familles a succédé à la chanson sucrée sexuée de France Gall. Nous avons découvert cette nuit-là que les karaokés japonais, en plus d'être des lieux de beuverie déjantée, sont de véritables musées discographiques internationaux, et que les tubes français des années 60 à 90 y figurent en bonne place.

La journée avait commencé bien plus calmement. Nous avons suivi à la lettre le programme envisagé par Louis, et j'ai titillé ma mère en ne lui révélant les étapes qu'au fur et à mesure. Pour elle, la journée a donc été une succession de surprises. C'était sa première fois hors d'Europe, sa troisième fois seulement hors de France, elle était comme une gamine, pressée de découvrir la suite. Elle se reposait sur moi, qui maîtrisais le programme et l'anglais – à défaut du japonais –, et j'ai eu le sentiment que les rôles entre nous venaient de s'inverser : j'étais la maman, en voyage avec son enfant à carte senior.

La première étape a été le Pokemon Center d'Ikebukuro, dans lequel nous avons acheté une trentaine de cartes « *ultra-rares* » et pris la pose devant des statues géantes à la gloire de Pikachu et ses amis. Des créatures étranges vêtues selon les codes du cosplay nous saluaient : des adolescents déguisés en icônes du Studio Ghibli, des écolières rose bonbon, des lolitas punk, des super-héros se déplaçant en bandes bruyantes. J'ai reconnu une Sailor-Moon, deux Hello Kitty, un Totoro et quelques héros Pokémon, mais je suis sûre que Louis aurait identifié la plupart des personnages.

Nous avons enchaîné avec une balade dans l'immense parc situé autour du sanctuaire shintoïste du Meiji-jingu. Nous avons été émerveillées par cette oasis de nature et d'Histoire au cœur de l'agitation de la ville. Un changement de décor surprenant. Nous avons sacrifié au rituel du selfie devant les antiques tonneaux de saké qui accueillent majestueusement les visiteurs, puis nous avons capturé l'atmosphère particulière du lieu en posant la caméra sur un muret durant de longues minutes. Louis pourrait écouter à loisir le silence singulier de la nature tokyoïte, la rumeur de la ville formant un arrière-plan auditif raffiné. Le premier plan était constitué de piaillements d'oiseaux et de bruissements de feuilles. Nous sommes restées longtemps ainsi. Attendant la suite du programme.

Un mariage traditionnel allait être célébré au Meiji-jingu. Je n'ai aucune idée de la raison pour laquelle Louis désirait assister à un mariage japonais, probablement quelque chose qu'il a découvert dans un manga et dont il a pressenti l'étonnante beauté. Le cortège s'est avancé. J'ai demandé d'un signe de tête à la mariée si nous pouvions filmer, elle a acquiescé d'un sourire. Elle semblait pénétrée de la magie du Meiji-jingu et de l'instant, immobile dans son habit immaculé semblable à un cocon, une chrysalide de pureté. Le temps était suspendu aux rouges des kimonos, aux toits de cuivre, aux pas lents et coordonnés, au poids des traditions. Penchée vers la caméra, j'ai décrit la scène à mi-voix, respectant la solennité du moment. C'est un spectacle à voir, mon amour. Il faut que tu y assistes toi-même. Merci de nous y avoir amenées.

Pour nous remettre de nos émotions, nous avons sans transition décidé de plonger dans le bouillonnement de Shibuya. Shibuya, tout le monde connaît sans connaître. C'est ce carrefour hallucinant aux passages piétons qui s'entremêlent, aux hauts buildings ornés d'écrans géants aussi sonores que lumineux. Le Times Square japonais. J'avais lu à propos de ce carrefour mythique qu'il est aussi l'illustration de la discipline nippone : lorsque les feux passent au vert pour les piétons, des centaines de personnes traversent au même moment, s'évitant avec méthode. « Tu imagines le bordel que ce serait si on balançait des Parisiens là-dedans », a remarqué maman avec sa délicatesse habituelle. Elle ne croyait pas si bien dire. J'avais un peu peur de ce que Louis avait prévu, mais je devais tout vivre à la lettre. Nous devions tout vivre à la lettre.

Nous nous sommes postées sur l'une des extrémités de l'un des passages piétons, entourées d'une centaine de personnes. Une centaine d'autres nous faisaient face. Malgré ses protestations, j'ai placé la caméra de Louis sur le front de ma mère en la gratifiant d'un « c'est à prendre ou à laisser » qui l'a fait marrer, et maugréer que les chiens ne faisaient pas des chats et que j'étais bien la fille de ma mère. J'ai allumé la caméra. J'ai pris sa paume ridée dans la mienne.

— À trois, on ferme les yeux.

— Tu plaisantes j'espère ? Tu veux ma mort ou quoi ?

— À trois, on ferme les yeux, maman.

— Jésus Marie Joseph, qu'est-ce que j'ai fait au bon Dieu…

— Maman, tu n'as jamais cru en Dieu !

— Ceci explique peut-être cela.

J'ai ri, elle a ri. J'ai dit : « Un, deux, trois, ferme les yeux ! »

Le feu est passé au vert pour les piétons, et nous avons avancé au milieu de la foule, les yeux clos. Ma mère poussait des cris effrayés à chaque fois que quelqu'un la frôlait, je riais de plus belle. Puis mon pied a heurté ce qui devait être un trottoir, j'ai trébuché, maman m'a retenue, je me suis redressée, et nous avons rouvert les yeux. Nous étions de l'autre côté. Nous venions de traverser le carrefour le plus peuplé du monde les yeux fermés, sans être bousculées une seule fois. Ces Japonais sont d'une discipline et d'une politesse désarmantes. Nous nous sommes regardées et avons éclaté de rire. Je crois que nous nous sommes senties vivantes.

Nous avons décidé de prendre une pause bien méritée dans un café qui surplombait le Shibuya Crossing, contemplant (et filmant) de longues minutes le ballet des passants, avec en fond sonore ce que nous avons identifié comme étant les derniers hits japonais à la mode. La nuit allait tomber, nous n'avions pas vu le temps passer. Il était déjà près de 17 heures et nous avions encore un programme chargé.

Nous nous sommes rendues en taxi dans le quartier de Shinjuku, haut lieu de la vie nocturne du pays, dont j'avais lu qu'il fallait tout de même se méfier. Au cœur de Kabukicho, le quartier chaud où se mêlent salles de jeu, bars à hôtesses, restaurants, clubs de jazz et réunions de yakuzas – les mafieux locaux –, mieux valait ne pas suivre n'importe quel individu n'importe où. Nous avons plongé de plein fouet dans l'agitation, la foule, les enseignes lumineuses verticales aux idéogrammes incompréhensibles. Après avoir repéré avec difficulté l'adresse mentionnée par Louis dans sa liste, décidément extrêmement précise concernant Tokyo, nous nous sommes retrouvées dans la salle d'attente de Tomohiro Tomoaki, alias Tomo Tomo le tatoueur des stars. Je devais demander à ce dernier d'encrer une partie de mon corps de manière indélébile, afin de cocher cette ligne de la liste hétéroclite des rêves japonais de mon fils.

Les murs étaient couverts de photos de stars internationales, posant fièrement ici avec un aigle sur la hanche, là avec une bouche gourmande en haut du pubis (la grande classe, je ne révélerai pas de quelle célébrité il s'agissait, même sous la torture)... et j'ai commencé à me demander dans quelle galère j'avais bien pu m'embarquer. Maman prenait un malin plaisir à jouer au jeu de l'interview, me filmant tout en me demandant ce que ça me faisait d'être à deux doigts de me faire tatouer un pénis sur la joue droite, on ne sait jamais vu ton niveau de japonais, ha ha. Très drôle. J'avais décidé de rester sobre, et de me faire tatouer un simple *L* majuscule dans le creux du poignet gauche. La lettre serait cachée par ma montre, la plupart du temps.

J'ai fermé les yeux pendant que Tomo Tomo me tatouait, et j'ai finalement été très satisfaite du résultat. Une douleur raisonnable, un *L* discret et magnifiquement japonisant. Nous l'avons remercié d'une inclinaison révérencieuse probablement à côté de la plaque – je crois que je ne comprendrai jamais les codes complexes du salut nippon –, et nous sommes ressorties dans l'agitation de Kabukicho.

Après avoir bu un premier umeshu dans le Golden Gai, cet insolite quartier de micromaisons dissimulant des bars dans lesquels ne peuvent s'entasser que cinq ou six personnes, nous sommes entrées dans un izakaya – un restaurant traditionnel. Nous avons ôté nos chaussures et nous sommes assises à même le sol, à genoux sur un tatami. Toutes ces aventures nous avaient donné faim. Sur la liste de Louis était inscrite une injonction aussi excitante qu'effrayante :

> – *Dîner dans un izakaya, demander une carte en japonais et sans photo, commander 5 éléments au hasard... et tout manger !*

— Je crois que je vais passer mon tour, mon cha-ton. Après tout, c'est toi qui dois suivre les instructions de Louis, pas moi.

— Tu as du culot, maman, si tu décides d'être mon invitée, eh bien, tu es mon invitée jusqu'au bout ! Allez, on se reprend deux umeshus, ça va te requinquer !

Ma mère a levé les yeux au ciel, feignant l'exaspération avec un immense sourire, et m'a répondu avec son plus bel accent : « Va pour les houx-meille-choux... »

Nous avons passé la commande auprès d'un serveur qui ne parlait pas un mot d'anglais, en pointant du doigt d'obscures écritures. Le serveur a parfois posé des questions à la suite de nos choix, semblant sur-pris – une surprise assez intériorisée, à la japonaise. Bien entendu nous ne comprenions rien et acquies-cions bêtement tout en gloussant comme deux poules impatientes. J'avais l'impression d'être Obélix attendant les plats de Mannekenpix le Belge, m'attelant à l'un des nombreux travaux concoctés par mon fils.

Sur notre table ont bientôt débarqué des sushis de divers poissons et autres mollusques : nous avons reconnu le saumon, le thon, l'anguille, des œufs de poisson (mais lequel ?), ainsi qu'une espèce de poulpe. Nous n'avons pas reconnu : un poisson à chair blanche un peu acide, un fruit de mer visqueux. Puis est arrivée une grande soupe de nouilles dont nous avons compris qu'elle s'appelait udon, agrémentée de beignets de crevettes, de légumes non identifiés, de tofu frit et d'algues. Jusque-là tout allait bien. On nous a ensuite apporté un simple riz d'accompagnement, qui à y regarder de plus près s'est avéré constellé de minuscules poissons frits entiers, yeux compris. Ma mère a protesté mais nous avons tout mangé (et croqué, car ces petits poissons étaient croustillants) à grand renfort de grimaces.

L'estocade nous a été portée par le chef lui-même, qui est venu jusqu'à notre table, une seiche vivante dans la main gauche, un grand couteau dans la main droite. Nous avons cessé nos rires de bécasses et le tonitruant chef nous a gratifiées d'une tirade des plus absconses, tout en disposant l'animal sur une planche en bois. Puis il a tranquillement dépecé la bestiole, nous disposant de fines lamelles transparentes dans de petits bols. Maman a détourné les yeux, j'ai ri en lui expliquant que puisqu'elle mangeait des huîtres vivantes, elle pouvait bien essayer la seiche « presque vivante ». Puis le chef s'est planté devant nous, nous l'avons remercié, mais il n'est pas parti. Il attendait visiblement que nous goûtions. Nous n'avions plus le choix. J'ai saisi la caméra et capté juste à temps la moue de ma mère et ses réflexes vomitifs au moment d'enfourner un morceau de seiche frétillant.

Nous avons lavé tout ça à l'aide d'un peu de saké, puis nous avons perdu quelques milliers de yens (quelques dizaines d'euros) dans la fumée de cigarette d'un pachinko, sorte de casino bondé où explosent les décibels de machines aussi bruyantes que clignotantes, et où des milliers de travailleurs en quête d'adréna-line sans flamme viennent noyer leurs vies déchar-nées. Pour finir notre parcours canaille à Shinjuku en beauté, nous avons dégusté une bière au wasabi au *Robot Restaurant*, admirant un spectacle de cabaret à mi-chemin entre l'épisode de *Bioman* sous ecstasy, la parodie en carton-pâte de comédie musicale amé-ricaine et le show bollywoodien chantant, dansant, hurlant, sonnant le décès de nos tympans.

De retour à Shibuya, nous avons opté pour ce karaoké collectif avec une bande de Japonais parti-culièrement éméchés, et livré nos dernières batailles à coups d'Eurovision et de déguisements grotesques.

J'ai ramené ma mère à l'hôtel en la soutenant – elle ne pouvait plus marcher droit – et les réceptionnistes nous ont gratifiées d'un sourire dans lequel j'ai pu déceler une pointe d'inquiétude.

— *Everything's fine, don't worry. Good night.*

Il était 4 heures du matin. J'ai déposé maman sur le lit, lui ai enlevé ses chaussures et sa coiffe de soubrette. Je me suis défenestrée une dernière fois, puis je me suis allongée moi aussi.

En cherchant à réveiller mon fils, je m'étais endormie petite fille. Lovée au creux de ma mère.

Extrait du carnet des merveilles

Vivre une journée de ouf à Tokyo avec la personne que j'aime le plus au monde (pour le moment maman)

— Faire une razzia de cartes ultra-rares au Pokemon Center d'Ikebukuro !!
— Assister à un mariage traditionnel au Meiji-jingu (avec kimonos et tout...)
— Me laisser porter par la foule du Shibuya Crossing, les yeux fermés
— Me faire tatouer par Tomo Tomo le tatoueur des stars (adresse : Tōkyō-to, Shinjuku-ku, Kabukichō, 1 Chome−12−2)
— Dîner dans un izakaya, demander une carte en japonais et sans photo, commander 5 éléments au hasard... et tout manger ! Miam miam
— Appuyer sur tous les boutons des toilettes japonaises
— Halluciner au Robot Restaurant de Shinjuku
— Prendre un verre dans le Golden Gai
— Me détruire les tympans dans un pachinko
— M'époumoner dans un karaoké de Shibuya
— Admirer les lumières de Tokyo depuis le sommet d'un gratte-ciel

Jours 21 à 17
OSE

Charlotte a baptisé la 405 « la chambre des merveilles », et tout le monde l'appelle comme ça maintenant. Depuis que maman a débarqué avec sa sono sous le bras et qu'elle a passé une après-midi entière à me diffuser et à me raconter tout ce qu'elle a filmé avec mamie Odette à Tokyo, maman est devenue une star dans tout l'hôpital Robert Debré.

Charlotte lui a dit qu'elle aimerait bien assister à la projection, et pour que ce soit possible, maman a choisi un jour de repos de celle qui a désormais un prénom et qu'elle n'appelle plus Sophie Davant. Bien sûr, Charlotte connaissait le contenu du voyage, puisqu'elle m'avait fait écouter plein d'extraits sur la tablette, mais elle voulait entendre « en live » tous les détails du récit. Au fil de l'après-midi, d'autres infirmiers, aides-soignants ou secrétaires médicales sont entrés et sortis au gré de leurs pauses, avec à chaque fois les mêmes rires joyeux, les mêmes remerciements. À la fin, Charlotte a dit à maman « c'est exceptionnel ce que vous faites pour votre fils », et j'étais trop d'accord.

Je me suis poilé toute l'après-midi, et qu'est-ce que j'aurais aimé voir ça ! En film, mais aussi en direct. Ce que j'ai le plus aimé, c'est ce duo comique involontaire qu'ont formé maman et mamie, une sorte de Laurel et Hardy de pacotille avec blagues à deux balles et vannes de vieilles. J'ai adoré, et je ne suis pas le seul au vu des applaudissements des spectateurs improvisés. Mamie était là aussi pour la projection, et j'ai senti qu'il s'était passé quelque chose entre elles là-bas. Elles étaient... comment dire ? Complices, je crois. Je ne les avais jamais entendues comme ça. Apparemment c'est mamie qui a fait le montage des films parce que maman n'y comprenait rien et que mamie est super forte en informatique, mais je peux vous dire qu'elle n'a rien censuré. C'était dingue. J'avais envie de me lever et de crier : « Ça, c'est ma mère et ma grand-mère, les gars, et elles envoient du lourd !!! »

Maman est ensuite restée seule avec moi, elle m'a embrassé longuement, je crois, et a tourné la page suivante de mon carnet des merveilles. Elle a lu ce qui était écrit, et elle a failli se pisser dessus. Au début j'ai eu un peu honte vu qu'il y avait des trucs un peu sexuels là-dedans, mais maman m'a dit que même si elle ne savait pas bien comment elle allait faire pour réaliser certaines choses, elle les ferait. Nous étions le dimanche 29 janvier, elle se donnait deux jours, parole de scout (qu'elle n'a jamais été). Mais là vu ce que j'allais lui faire faire, ce serait bien si je pouvais lui montrer un signe. Mon petit cœur je t'aime, tu me manques, et tu manques à ta grand-mère aussi. Reviens vite, tout ça c'est pour toi que je le fais, pour te montrer à quel point la vie est belle, à quel point elle vaut d'être vécue. Promis, je vais essayer maman. Tu peux pas savoir comme j'en ai envie.

Le lendemain soir, maman m'a raconté la première de ses aventures. Je dois avouer qu'elle m'a scotché. J'aurais pas cru qu'elle aurait fait des choses pareilles. Le pire c'est qu'elle a eu l'air d'avoir kiffé, de s'être éclatée à faire les conneries que j'ai écrites sur cette page que j'avais intitulée « J'ose !!! »... tout un programme.

Elle a commencé par le plus simple de la liste, en tout cas le moins impliquant. Il s'agissait de monter dans un taxi au hasard, puis de prendre un air totalement paniqué et de hurler « suivez cette voiture ! » comme dans les films d'espionnage. J'ai toujours trouvé ça super swag comme phrase et j'ai toujours rêvé de la prononcer en vrai. Eh bien ma mère l'a fait. Trois fois, parce que les deux premières ont été des échecs cuisants : elle s'est fait sortir dans les cinq secondes. Mais la troisième tentative a été la bonne. Elle a eu l'idée de rajouter un simple « police » devant la phrase, de s'imprimer et de plastifier une fausse carte qui pourrait créer l'illusion pour quelqu'un qui ne serait pas trop regardant, stressé par la situation, ou un peu des deux. Elle est entrée comme une furie

125

dans un taxi, a brandi son insigne de papier et hurlé sa phrase, totalement habitée par le rôle – le cours Florent n'avait qu'à bien se tenir, d'après ses propres mots. *Le chauffeur a démarré en trombe. Très vite il lui a posé des questions, mais elle s'y était préparée. Qui suivaient-ils ? De dangereux braqueurs de banque. Pourquoi était-elle seule alors que les policiers sont toujours par deux, c'était étrange, non ? Elle était infiltrée parmi les braqueurs, des renforts allaient la rejoindre. Puis les questions s'étaient faites plus précises. De quel corps de police faisait-elle partie ? De la brigade financière... antibraquage. Il ne connaissait pas cette unité. C'était normal elle avait été créée récemment. Pouvait-il avoir son nom et son grade ? Elle avait été prise de court et avait répondu du tac au tac commissaire Adamsberg. Le chauffeur était un amateur de polar, connaissait le héros de Fred Vargas, avait pilé sec et lui avait ordonné de sortir sous peine d'appeler la police, la vraie. Elle s'était exécutée. Elle avait quand même eu le temps de prendre une photo d'elle dans le taxi, son insigne à la main, pour immortaliser l'instant. Je verrais cette putain d'image quand je voudrais bien me donner la peine d'ouvrir les yeux. J'ai senti une pointe de reproche dans cette dernière phrase, que j'ai mise sur le compte de la fatigue.*

Le mercredi 1ᵉʳ février, maman m'a rendu visite avec mamie pour me raconter leurs exploits. La veille, maman avait emmené mamie avec elle pour faire un « double co-chage de case filmé ». Je n'avais pas compris tout de suite ce qu'elle voulait dire par « double cochage » mais quand elle a commencé à me diffuser le film sur sa tablette, j'ai compris et j'ai vécu l'épisode comme si j'y étais. Elles avaient pris soin d'expliciter à l'oral tout ce qui se passait, d'éviter les non-dits... elles devenaient des vrais pros de films en audiodescription. Pour la bonne compréhension de ce qui suit, je vous précise que le dialogue est entre Mme Ernest, ma prof de maths, et ma mère. Mamie tenant la caméra à côté. Morceaux choisis de ce que j'ai entendu.

— Merci de me recevoir et d'accepter d'être filmée, madame Ernest. C'est très important pour nous, ce que vous faites là.

— Mais je vous en prie. J'ai eu beaucoup de peine lorsque j'ai appris pour votre fils. J'espère qu'il va s'en sortir.

— Vous pouvez lui parler, nous lui diffuserons l'enregistrement.

— Ah... d'accord. Mon petit Louis, je te souhaite beaucoup de courage. Tu as la force en toi. Et tu as eu 20/20 à ton dernier devoir surveillé, tu peux être fier de toi.

Parenthèse de moi-même : c'est un peu merdique ces encouragements de Mme Ernest, non ? On dirait maître Yoda dans ses mauvais jours.

— Merci, madame Ernest. Je suis sûre que Louis sera très touché. Mais... j'ai une faveur à vous demander. Pour Louis et pour tous les autres enfants malades du monde entier. J'aimerais que vous acceptiez.

— *Si je peux vous aider, j'en serai ravie.*

— *Bien. Alors je vous explique. Ne m'en veuillez pas, c'est un peu délicat. Voilà, il y a un nouveau challenge sur les réseaux sociaux, c'est très sérieux ça s'appelle le* boob *challenge... en français le « challenge pour les seins », s-e-i-n-s. Il s'agit de toucher les seins de différentes personnes pour récolter des fonds pour la recherche sur le coma profond.*

— *Vous plaisantez, je suppose ?*

— *Pas du tout. Vous avez déjà vu j'imagine ces campagnes dans lesquelles des célébrités posent seins nus pour lutter contre le cancer...*

— *Oui, je crois...*

— *Eh bien là c'est le même principe. Les visages sont floutés, bien sûr. Tout cela est anonyme. J'ai entrepris de toucher les seins de chaque personne qui compte pour Louis, afin d'apporter ma contribution, ma pierre à l'édifice. J'aimerais beaucoup vous toucher les seins, madame Ernest.*

Parenthèse de moi-même : maman a presque des sanglots dans la voix en disant tout ça. Elle est incroyable, ma mère.

La fin de la scène était extraordinaire. Après d'évidentes protestations de ma matheuse préférée, ma mère a montré à Mme Ernest une vidéo dans laquelle elle touchait les seins de plusieurs personnes : ma grand-mère évidemment, mais aussi Charlotte notre infirmière favorite et Françoise notre femme de ménage. Alors Mme Ernest a finalement dit oui, et maman m'a décrit avoir délicatement posé ses mains sur cette poitrine ferme, l'a remerciée et a pris congé. Maman m'a ensuite fait la morale en m'expliquant que ce genre de choses ne se faisait pas, qu'elle comprenait les délires de collégiens mais que toucher les seins d'une personne sans son consentement s'apparentait à un abus sexuel, c'était bien pour ça qu'elle avait — en quelque sorte — demandé son autorisation à cette gentille jeune femme. En tout cas elle ne l'avait pas prise en traître. Maman avait l'air en colère, mais a fini en me disant que j'avais bien raison de fantasmer sur cette prof, qu'elle était vraiment très jolie et qu'elle était sûre que très bientôt, plein de filles seraient d'accord pour que je touche leurs seins — avec leur consentement.

Maman et mamie ont ensuite erré dans les couloirs du collège, cherchant la classe de Mme Grospiron, la prof d'anglais que je déteste. L'ayant identifiée, elles se sont glissées à l'intérieur en loucedé (en douce, pour les plus de quarante ans), mamie a allumé la caméra puis la lumière, et maman s'est foutue à poil devant le tableau des verbes irréguliers. Elles ont ri comme des folles et sont tombées nez à nez avec le proviseur en sortant de la classe. Maman était encore débraillée, elle m'a dit « t'aurais vu la tête qu'il a faite »... Puis maman a joué à fond la carte du pathos pour s'en sortir, arguant qu'elle devait récupérer un cahier de son fils Louis, « vous savez bien monsieur Farès »... M. Farès a été tout attendri et lui a présenté ses sincères condoléances. Là, ça n'a fait rire *personne, maman lui a dit que j'étais vivant et ça a un peu plombé l'ambiance. Maman n'a plus rigolé ensuite, elle m'a dit que maintenant il fallait que je sois fort, qu'elle y croyait toujours, qu'elle m'aimait plus que tout et que je lui manquais tellement.*

Je ne reconnais plus ma mère. C'est elle, bien sûr. Mais en plus ouverte, plus gaie, plus détendue, plus drôle. Et aussi en plus sincère, plus expressive.

C'est ma mère en mieux.

Extrait du carnet des merveilles

J'ose !!!

— *Toucher les seins de Mme Ernest !!*
— *Monter dans un taxi et hurler « suivez cette voiture ! »*
— *Me foutre à poil dans la classe de Mme Grospiron !!!*

12

Jour 17
CHARLOTTE FOREVER

Lorsque je suis sortie de la chambre de Louis après lui avoir raconté avec moult rires forcés les exploits salaces de sa mère et de sa grand-mère au collège Paul Éluard, j'étais épuisée.

J'ai eu besoin de m'asseoir, là dans le couloir du quatrième étage. Juste un instant. J'avais pris conscience le matin même d'un détail, qui a revêtu au cours de la journée une importance considérable dans mon esprit. Louis n'a quasiment rien vu du mois de janvier 2017. Il l'a passé dans cette chambre 405 dont le décor me foutait la gerbe désormais.

Je n'en pouvais plus de cette fenêtre qui n'offrait pour horizon qu'une triste géométrie bétonnée au-dessus d'un boulevard grisâtre. Je n'en pouvais plus de ce sol en lino vert, de ces murs où des stickers d'oiseaux rieurs, de vaisseaux spatiaux fantasques et autres fleurs délicates étaient censés atténuer l'odeur d'éther qui me prenait à la gorge. Je n'en pouvais plus de cette poésie forcée, de cette joie de vivre factice dont je peuplais les lieux, de ces photos souriantes qui contrastaient douloureusement avec les cris, les gémissements qui retentissaient parfois à l'autre bout du couloir. Je n'en pouvais plus de tous ces tuyaux qui me bloquaient l'accès à la vraie, la seule beauté présente ici, celle de mon fils. Je n'en pouvais plus d'imaginer que Louis ne reverrait peut-être jamais le printemps.

Toutes ces considérations m'étaient insupportables. La plupart du temps je parvenais à les tenir à distance, mais plus nous nous rapprochions du 18 février, soit un mois jour pour jour après l'annonce du docteur Beaugrand, plus je sentais la terreur envahir mes entrailles. Louis devait se réveiller, maintenant. Plus tard, il serait trop tard. Le froid écrasant de son absence me tuerait à petit feu. Je ne survivrais pas à l'arrivée d'un printemps vide de lui. Le printemps serait ma limite physique, ma frontière émotionnelle.

Perdue dans mes pensées, j'avais adopté sur cette chaise inconfortable d'hôpital une posture qui pouvait apparaître au premier regard comme celle du désespoir. Ma tête penchée reposait sur mes paumes, et mes doigts effectuaient de lents mouvements circulaires sur mon cuir chevelu. Je m'octroyais un massage pour éviter de sombrer dans le printemps. Nous n'étions qu'au début du mois de février, il me restait dix-sept jours pour réveiller mon fils, je devais tenir bon.

Je n'ai pas entendu Charlotte s'approcher et j'ai sursauté lorsqu'elle m'a doucement interrompue dans mes considérations saisonnières.

— Est-ce que tout va bien ?

— Vous m'avez fait peur... Oui, merci Charlotte, tout va bien. Un petit coup de mou, c'est tout.

— J'ai fini mon service, vous voulez que je vous reconduise chez vous ? Je crois que vous habitez près du canal Saint-Martin, c'est sur mon chemin.

— Merci, c'est gentil, mais je ne veux pas vous déranger. Je vais rentrer en marchant, l'air frais me fera du bien.

— Si vous voulez de l'air frais, vous serez servie avec moi, je suis en scooter. Allez, je vous emmène, ne vous faites pas prier.

Je n'ai pas dit oui, mais je l'ai tout de même suivie.

Je m'étais rendu compte quelques jours auparavant que je m'étais prise d'une sorte d'affection pour cette fille. Contrairement à certains de ses collègues de l'hô-pital, elle a toujours été extrêmement attentionnée avec Louis, extrêmement respectueuse. Là où d'autres n'hésitaient pas à continuer leurs discussions person-nelles devant mon fils, comme s'il n'existait pas ou était transparent, Charlotte lui parlait. Là où d'autres s'adressaient à lui comme s'il était un débile mental avec lequel il faudrait utiliser une voix mielleuse et des

135

mots simplets, Charlotte lui décrivait ce qu'elle était en train de faire, précisément, normalement.

Charlotte accomplissait un travail difficile, toujours avec le sourire. Il y avait quelque chose d'incandescent dans sa blondeur, son teint lumineux. Un souffle solaire dans son regard azur. Une joie de vivre aiguë, contagieuse, presque violente. Du haut de son mètre cinquante-cinq, cette fille était impressionnante d'aplomb, de sang-froid, de bienveillance. Elle était courageuse, ne se plaignait jamais devant les patients ou leurs familles. Je m'étais mise à l'admirer, d'une certaine façon. En tout cas je la respectais pour ce qu'elle était, ce qu'elle dégageait, ce qu'elle faisait. Elle devait pourtant avoir ses propres problèmes. Un dégât des eaux à régler, un découvert à combler, un rhume qui ne passe pas, un amoureux qui ne rappelle pas, un deux-roues qui ne démarre pas.

J'ai eu soudain envie de la connaître. Je ne sais pas pourquoi. Si, je sais pourquoi. Parce qu'elle avait l'air d'aimer mon fils. Aimer est peut-être un mot un peu fort, elle s'était forcément blindée au fil des années pour ne pas craquer devant tout cet étalage de détresse humaine, mais elle n'était pas insensible à cet adolescent, à sa mère et à sa grand-mère un peu foldingues.

Quelle était son histoire à elle ? Comment avait-elle décidé de faire ce métier ? Où vivait-elle ? Quel âge avait-elle ? Avait-elle des enfants, était-elle mariée, possédait-elle un chien, un chat, un hamster ?

Lorsque nous sommes arrivées devant chez moi, je me suis surprise à engager la conversation :

— Vous ne voulez pas monter un moment ?

— C'est gentil mais je ne voudrais pas... et de toute façon je ne peux pas...

— Vous savez, si je vous le propose, c'est que j'en ai envie. Mais soyons claires, je ne suis pas en train de vous draguer !

J'ai ajouté cette dernière précision en riant car je l'ai vue hésiter et j'ai compris après coup à quel point cette proposition — et surtout la tournure de phrase que j'avais employée — pouvait paraître ambiguë. Elle a ri aussi, répondu qu'elle n'avait pas imaginé ce genre de sous-entendu, mais que vraiment elle ne pouvait pas. Après un temps d'arrêt, elle a finalement ajouté :

— Pour tout vous dire, j'organise une petite fête chez moi ce soir pour mon anniversaire — c'était avant-hier — et si vous voulez venir vous êtes la bienvenue.

— Merci pour la proposition, Charlotte, ça me touche beaucoup. Vraiment. Mais ne vous sentez pas obligée de m'inviter, et ne ramenez pas de boulot chez vous, vous en faites déjà bien assez à l'hôpital. Pas besoin de vous coltiner les mères dépressives de vos patients... Bon anniversaire, en tout cas !

— Merci... Vous savez si je vous le propose c'est que j'en ai envie. Mais soyons claires, je ne suis pas en train de vous draguer !

Nous avons ri de nouveau, Charlotte a insisté en m'assurant que ça me changerait les idées, et qu'elle habitait à deux pas. Elle savait que je vivais comme elle aux abords du canal Saint-Martin, comme probablement plus de cent mille Parisiens, mais elle ne pensait pas que nous étions quasiment voisines. Elle m'a donné son adresse, c'était en effet à trois rues de chez moi. Si je m'ennuyais ou ne me sentais pas dans mon assiette, je pourrais partir à tout moment, ce serait une petite soirée toute simple entre amis, du style buffet-pas-de-table-bonne-franquette, chacun arriverait et repartirait comme il l'entendrait. Puis elle a ajouté : « Laissez-vous aller, ça vous fera du bien et ça me fera plaisir ! » Le tout avec cet œil pétillant qui la caractérise.

J'ai accepté. Elle a dit quelque chose comme « super, alors rendez-vous vers 20 heures » et j'ai vu sa silhouette légère s'éloigner à dos de scooter.

Putain, pourquoi avais-je accepté ? Qu'allais-je bien pouvoir raconter à tous ces inconnus ? Une fois parvenue chez moi, je me suis observée dans le miroir de ma chambre et j'ai senti monter une vague de panique. Il s'agirait de ma première sortie depuis l'accident de Louis. J'ai commencé l'état des lieux en soulevant mon pantalon. J'ai remballé le tout immédiatement, constatant avec horreur que mes jambes me rapprochaient plus de Chewbacca que de Miss Monde. Les racines de ma coloration commençaient à dater. Chez Hégémonie, on m'aurait jeté des pierres — ou a minima des tomates.

Quelle heure était-il ? 16 h 15. J'avais trois heures quarante-cinq pour rattraper le coup et paraître un tant soit peu convenable. Je me suis mise à bénir le dieu des salons de beauté de vivre à Paris et non dans l'un de ces bleds où tout est fermé après 18 heures... J'avais encore le temps de rendre ma pilosité moins effrayante, d'acheter un bouquet pour remercier Charlotte, de passer chez un coiffeur, et de camoufler mes rides sous l'un des fonds de teint qui prenaient la poussière dans mes placards depuis un mois.

J'ai attrapé ma veste et suis sortie en hâte. Juste avant, j'ai laissé un Post-it à ma mère, qui allait lui faire le choc de sa vie. J'avais écrit sobrement mais avec une grande excitation : « Ne prépare rien pour le dîner, je sors. »

13

Jour 17

UN VIEUX BAR CRADE

Une petite soirée toute simple, à la bonne fran-
quette, avait dit Charlotte. Tu parles, l'appartement
était minuscule et bondé.

Je me serais crue à la soirée de Noël d'Hégémonie,
le genre de soirée dans laquelle j'ai toujours l'impression que chaque participant a jeûné pendant trois
mois... alors moi la bien élevée, au bout de cinq
minutes il ne me reste généralement plus que trois
toasts au jambon. Eh bien, chez Charlotte, il fallait
sacrément avoir la rage pour espérer accéder au buffet
et à une quelconque boisson.

Charlotte m'a accueillie tout sourire, m'invitant à
entrer, me remerciant pour les fleurs et me gratifiant
d'un waouh vous êtes très belle qui m'a fait plaisir.
J'avais opté pour une tenue simple, mais efficace : jean
slim, chemisier blanc à tendance translucide, talons

aiguilles rouge carmin. Je lui ai retourné le compliment. Charlotte était à tomber. Bien sûr je la reconnaissais, mais son look du soir n'avait rien à voir avec l'uniforme blouse-blanche-Crocs-maquillage-léger dans lequel j'avais l'habitude de la voir. Juchée sur des sandales compensées qui rehaussaient ses jambes hâlées de dix bons centimètres, elle virevoltait dans sa robe noire, honorant de son enthousiasme communicatif chacun de ses invités. Étant donné qu'il devait y avoir cinquante personnes, j'avais calculé assez vite que mon quota de Charlotte au cours de la soirée serait très limité.

J'étais là depuis près de vingt minutes et je n'avais toujours engagé de conversation avec personne. J'étais la plus vieille de tous les convives. Charlotte devait avoir dix ans de moins que moi, je ne me l'étais pas énoncé aussi clairement à l'hôpital, mais maintenant que je l'observais dans son habitat naturel, c'était évident. Qu'est-ce que je foutais là, putain ? À mesure que les minutes défilaient, je me sentais de plus en plus décalée. J'étais différente de cette faune de jeunes célibataires, insouciants, rieurs, buveurs, fumeurs. Je les enviais pourtant. Je voulais leur ressembler, donner le change. Moi, d'ordinaire si à l'aise dans les conversations de comptoir ou de machine à café, j'avais perdu cette capacité à faire semblant de m'intéresser à ce qui ne m'intéressait pas, à réagir par des hochements de tête ou des « ah, super... oh, tant mieux...

mais dis-moi c'est génial… » aux élucubrations d'une vague connaissance racontant ses vacances au Népal. Ces quelques semaines avaient anesthésié mes synapses de socialisation. Je ne m'en étais pas rendu compte, car je n'avais plus été confrontée à une telle situation depuis que j'avais claqué la porte d'Hégémonie. Je m'apprêtais à repartir, lorsque j'ai entendu un homme s'adresser à moi.

— C'est incroyable, ces gosses seraient prêts à tout pour quelques grammes d'éthanol. Puis-je vous offrir quelque chose, mademoiselle ? Enfin si je parviens à me glisser…

Il avait une voix chaude, éraillée, presque cassée. Très masculine. Je me suis retournée, une réponse-type-qui-coupe-les-élans-des-dragueurs-qui-parlent-comme-dans-un-bouquin au bord des lèvres :

— Non merc…

Et je me suis arrêtée net. Le mec était beau. Charmant. Je ne m'y attendais pas. La quarantaine ou un peu plus – peu importe – en tout cas bien plus âgé que la moyenne de cette soirée. Grand, un visage droit assez classique, une musculature que je devinais bien dessinée à travers son tee-shirt gris fluide à manches longues. Une barbe fine et entretenue, des cheveux noirs bouclés mi-longs qu'il avait passés derrière ses oreilles mais dont on comprenait tout de suite qu'ils avaient tendance à se rebeller. Un Latin sûrement, brut de fonderie et sophistiqué à la fois.

143

Des yeux très sombres à la limite du noir. Une lueur presque rugueuse dans le regard, malgré son sourire. Car il me souriait, attendant ma réponse. Je restais immobile, probablement un air un peu benêt accroché à mon visage, lorsqu'une fille les bras chargés de bière m'a percutée. Choc. Chute de bière sur le sol. Tentative désespérée de me raccrocher à un voisin. Échec. Glissade. Chute de bière sur mon chemisier blanc. Humiliation.

La jeune femme se confondait en excuses tout en m'appelant constamment *madame*. Humiliation au carré. Mon bel inconnu avait dit *mademoiselle*, c'était mon lot de consolation. Merde, mon chemisier. Il ne me manquait plus qu'un bon concours de tee-shirt mouillé à la bière… J'ai dit à la fille que ce n'était pas grave – vraiment je vous assure – et mon chevalier servant m'a tendu les mains et m'a aidée à me relever. J'ai été surprise par le contraste entre sa poigne ferme, énergique, en totale cohérence avec l'image un peu bourrue qu'il renvoyait, et la longueur inhabituelle de ses doigts. Les mains sont ce que je regarde en premier chez un homme – après les yeux et les fesses bien sûr. Côté postérieur je n'avais pas encore pu me faire une idée, mais les yeux et les mains tenaient leurs promesses.

— Je suis désolé, c'est à cause de moi… si je ne vous avais pas distraite…

— Ne vous en faites pas, ce n'est rien, et puis j'adore l'odeur de la bière sur mon corps.

Putain Thelma, c'est quoi cette blague pourrie, tu n'as rien trouvé de mieux ?

— Cela tombe très bien. Moi aussi j'adore l'odeur de la bière sur votre corps.

Le mec avait de l'humour. Il était sur sa lancée.

— Reprenons là où nous en étions, voulez-vous ? Permettez-moi maintenant de vous offrir ce verre que je vous ai promis...

D'où sortait ce mec qui ressemblait à un héros de film d'action et qui parlait comme un acteur intello ? Impossible de rester de marbre en tout cas. Je dois bien l'avouer, j'ai ressenti pour cet inconnu une attraction immédiate, presque animale, inexplicable, déconcertante. Putain de phéromones.

J'allais accepter le verre, mais j'ai stoppé mon mouvement. J'ai pensé à Louis. Cela faisait vingt minutes que je n'avais pas pensé à Louis. Qu'est-ce que j'étais en train de faire ? D'oublier mon fils ? De quel droit étais-je en train de parader les seins imbibés d'alcool devant un bellâtre ? Un gouffre béant de culpabilité s'est ouvert et s'est mis à m'aspirer, me punissant d'être capable de pensées lubriques alors même que mon fils était dans le coma. Une odeur de vieux bar crade commençait à se dégager de mon chemisier. Je me suis trouvée pathétique. Je devais partir, sur-le-champ.

— Non merci, vraiment. Il faut que j'y aille. De toute façon je ne suis plus présentable.

— Je vous assure que vous êtes bien plus que présentable. J'y tiens. Laissez-moi vous offrir ce verre, ensuite vous partirez.

— Désolée. Bonne soirée.

J'ai attrapé mon manteau et suis sortie, sans même un au revoir pour Charlotte, qui discutait sur son balcon avec un jeune homme en enchaînant clope sur clope. Elle avait loupé le jet de bière intempestif. Tant mieux, au moins j'aurai conservé un semblant de dignité à ses yeux.

Quelle conne j'avais été d'accepter. Je n'étais pas prête, j'aurais dû m'en rendre compte avant d'y aller. Mais j'avais tellement eu envie de croire que ma vie pouvait redevenir normale. Que je pouvais redevenir normale. Je m'étais trompée.

J'étais à cinq minutes seulement de chez moi, mais j'avais besoin de marcher. Longtemps. Je ne pouvais pas rentrer si tôt à la maison, maman m'aurait assaillie de questions. À l'idée que j'allais sortir, elle avait montré encore plus d'excitation que moi, elle m'avait fait couler un bain et m'avait donné du « mon petit chaton chaud » à toutes les sauces, tout en me rappelant à quel point j'étais magnifique, à quel point j'avais le droit de continuer à vivre, à quel point j'avais le droit d'être heureuse. Je m'étais presque laissé convaincre mais j'avais pris conscience un peu tard que mon unique priorité, mon amour, mon fardeau, ma douleur, ma joie, mon espoir, ma vie restaient Louis.

Seule dans la rue, j'ai déambulé le long de ce canal Saint-Martin que mon fils aimait tant. Des larmes ont envahi mes yeux lorsque je me suis aperçue que je pensais parfois à lui au passé. Je les ai retenues, là, juste au bord. Ce canal Saint-Martin que mon fils *aime* tant. Louis n'est pas mort, Thelma. Louis va vivre.

Il faisait bon pour un début de mois de février, j'ai gardé mon manteau ouvert afin de sécher mon chemisier, ce qui m'a conféré une odeur des plus désagréables. J'étais passée du vieux bar crade à la boîte de nuit vers 4 heures du matin.

J'ai repensé à mon gentilhomme du soir. Je n'avais finalement rien su de lui, mais l'empreinte de ses mains était encore palpable sur les miennes. Je me suis mordu la lèvre inférieure, me punissant de ces pensées déplacées.

Je me suis assise sur un banc, scrutant la surface du canal Saint-Martin, me demandant ce que cela pouvait bien faire comme impression de mourir par noyade : était-ce douloureux, était-ce lent, était-ce supportable ? Mourir semblait si facile, au fond. Pourquoi ressent-on au plus profond de soi le besoin de vivre coûte que coûte, pourquoi ce putain d'instinct, cette injonction à ne pas lâcher est-elle si présente ? Il aurait été plus simple de lâcher. J'aurais pu me pencher si fort que j'en aurais basculé, je me serais enfoncée dans l'eau de ce canal boueux, personne ne m'aurait vue si je m'y étais prise correctement. Mais je ne lâcherais pas, je le savais. J'étais au purgatoire, condamnée à vivre.

Je me suis mise à aspirer l'air de la nuit avec une gourmandise désespérée, comme des bouffées d'oxygène comprimé dans une bouteille de chambre d'hôpital.

14

Jour 16
ET UN, ET DEUX...

Le lendemain de la soirée chez Charlotte, ma mère n'a pas cessé de me questionner, et elle s'est assez vite rendu compte que je restais évasive. J'ai bien tenté d'inventer quelques bobards, mais je me suis souvenue que maman connaissait l'infirmière aussi bien que moi. Elle n'aurait donc aucun mal à apprendre que j'avais quitté les lieux très tôt. Autant la devancer et lui donner une explication vaseuse. Je suis partie assez vite car je ne me sentais pas très bien, probablement quelque chose que je n'avais pas digéré le midi, ou bien la fatigue. Je suis allée prendre l'air, marcher dans Paris. Oui bien sûr, tout va très bien, maman. Elle n'a pas été dupe – elle n'est jamais dupe – mais elle m'a laissée tranquille. Elle m'a glissé que le petit carnet de Louis me faisait du bien à moi aussi, nous faisait du bien à tous. Peut-être pouvais-je m'attaquer à la suite, ça me changerait les idées.

Elle avait raison. Il me restait seize petits jours et Louis ne donnait toujours aucun signe de réveil. Les électroencéphalogrammes étaient désespérément les mêmes, toujours aussi anarchiques. J'avais demandé s'il était possible de passer à côté de moments d'éveil, de passer à côté de l'activité réelle de son cerveau. On m'avait répondu que dans un coma tout était possible, mais que l'inquiétude grandissait à mesure que le temps s'écoulait.

Avant d'ouvrir le carnet de mon fils, je l'ai serré contre moi, je l'ai reniflé. Il y avait encore quelques traces de Louis, mais elles devenaient fugaces. À l'hôpital, Louis n'avait plus d'autre odeur que celle des produits dont on le badigeonnait pour faire sa toilette. Combien de temps ces bribes de mon fils demeureraient-elles accessibles ? Le temps estompait les odeurs, floutait les images. J'avais besoin de regarder des photos pour que ses yeux et son sourire ne s'effacent pas, pour les garder vivants, qu'ils ne sombrent pas dans les profondeurs d'une mémoire qui vacillait bien trop vite.

J'ai caressé la couverture du carnet des merveilles de Louis. J'ai passé la page sur le toucher de seins de la prof de maths et n'ai pu m'empêcher de sourire. Puis j'ai fermé les yeux, et j'ai tourné. J'ai ouvert un seul œil, redoutant ce qui allait me tomber dessus, prolongeant ce petit plaisir qui lui aussi aurait une durée limitée. Le nombre de pages noircies était réduit, Louis comptait vivre, Louis comptait le remplir au fur et à mesure, Louis n'avait pas eu suffisamment de temps. En lisant cette page, j'ai d'abord hurlé intérieurement « oh non pas ça !!! »… puis m'est venu une sorte de rire nerveux qui en disait long. En réalité, je m'attendais à ce qu'il y ait quelque chose en rapport avec le football dans ce carnet, j'avais même été étonnée que ce sport adoré de Louis ne soit pas présent dès la première page. D'accord les images de foot saturaient déjà la couverture, des avertisseurs visuels qui m'avaient préparée mentalement. Malgré cette attente, la sentence était terrible, et s'étalait en lettres arrondies sur cette page qui n'en finissait pas de me narguer. J'ai appelé ma mère et lui ai tendu le cahier de Louis. Elle a éclaté de rire, me gratifiant d'un « alors là il t'a pas ratée ! ».

Sur la page, la scène du crime de lèse-football s'étalait avec une défiance jubilatoire.

Du foot du foot du foot ☺ ☺ ☺

— Faire un stage intensif avec Edgar, yes !!! (et Isa…)

Qui était ce dénommé Edgar ? Son entraîneur de football, sûrement. Je me rappelais vaguement avoir entendu ce prénom dans la bouche de Louis… mais je n'écoute jamais vraiment lorsqu'il s'agit de ce sport.

En revanche que diable venait faire dans cette galère cette mystérieuse Isa dont le prénom apparaissait déjà pour la deuxième fois ?

L'effet de surprise passé, je me suis demandé si je pouvais trouver un moyen de contourner ce rêve. Il ne s'agissait pas de ne pas honorer ma promesse, je ferais ce qui était écrit… mais je pouvais toujours tenter ma propre interprétation alternative de ses écrits. Après tout, Louis parlait d'un stage intensif sans en préciser la teneur. Peut-être pouvais-je trouver une personne se prénommant Edgar, une autre se prénommant Isabelle, leur demander de jouer à un jeu vidéo de foot de manière intensive pendant quelques jours, et ainsi valider cette épreuve tout en restant bien au chaud chez moi ?

Il faut dire que j'ai toujours détesté le foot. Je n'ai jamais compris par quel procédé génétique obscur une telle aversion avait pu se muer en passion chez ma descendance. Je ne me souvenais pas que le père de Louis ait été particulièrement fasciné par ce sport non plus. Non, c'était quelque chose que cet enfant avait développé tout seul, probablement aidé par les grandes marques mondiales qui dépensent des millions pour transformer des péquenauds au vocabulaire limité en stars intersidérales, et un sport tout à fait banal en discipline reine. Bien sûr tout le monde n'est pas à mettre dans le même panier, tous les joueurs ne sont pas de complets idiots, mais tout de même, comment notre société a-t-elle pu normaliser l'attribution d'un salaire dix mille fois plus élevé à un footballeur qu'à une infirmière, un enseignant ou un chercheur – des gens de la vraie vie, au métier utile –, cela je ne me l'explique pas.

Dans mon cas, ce n'est pas qu'une question de football. Je n'aime pas le sport de façon générale. J'ai fait un peu de danse entre le CE1 et la quatrième, avec une assiduité toute relative : je me suis par exemple toujours arrangée pour ne pas subir le gala de fin d'année. Au collège et au lycée, j'étais de celles qui avaient mal au ventre, qui avaient leurs règles, une migraine qui ne passait pas, une cheville tordue… toute excuse était bonne pour sécher le cours d'EPS.

Mais si Louis était conscient, comment accueillerait-il mon contournement éhonté de ce rêve finalement bien simple à réaliser ?

— T'es sérieuse là, maman ? C'est comme ça que tu veux me donner envie de revenir, en construisant des mensonges et en ne faisant même pas l'effort de t'intéresser à ce qui me passionne ? De toute façon tu ne t'y es jamais intéressée…

— Mais je déteste le foot, tu le sais bien…

— Je ne vaux pas un petit effort physique, c'est ça ? Si tu savais comme j'aimerais être à ta place !

— Si tu savais comme j'aimerais que tu sois à ma place. Je donnerais tout pour que l'on puisse échanger nos places, mon amour…

Après ces hésitations et dialogue imaginaire, j'ai dû me rendre à l'évidence. Je ne pouvais pas faire marche arrière. Je me suis résolue à chercher cet homme, Edgar. Nous étions le jeudi 2 février, les vacances scolaires commençaient dans deux jours, peut-être y aurait-il des stages organisés ? Des stages pour vieilles débutantes en foot, j'en doutais fort... il allait falloir faire accepter à cet entraîneur de me laisser participer à l'une de ses séances pour boutonneux. J'allais passer pour une folle, mais je commençais à en avoir l'habitude.

J'ai fouillé dans l'organiseur des papiers administratifs, dans la partie consacrée à Louis : factures de cantine, certificats médicaux, et inscriptions en tout genre. Inscription à son cours de guitare (il a lâché au bout de trois mois), à son stage de tennis de table (je lui ai bien dit que ça n'allait pas l'emballer mais il n'a rien voulu savoir, et il a détesté), inscription au foot, au foot, au foot. Depuis ses six ans. Les premières années, je devais me lever à 5 heures du matin un jour funeste de juin pour aller faire la queue lors des inscriptions. Le personnel du centre de loisirs n'arrivait qu'à 9 heures, mais il me fallait patienter dès l'aube, entourée de parents prêts à tout pour être certains d'obtenir l'activité favorite de leur rejeton, lançant des regards soupçonneux à quiconque dépassait la ligne imaginaire qu'ils avaient tracée pour signifier qu'ils étaient devant les autres. Cette année, j'étais parvenue à me débarrasser de cette corvée : Louis était grand désormais, je l'avais envoyé poireauter tout seul − enfin pas tout à fait... flanqué de deux de ses amis footeux et de la mère de l'un d'entre eux. Il avait fait le pied de grue et s'était inscrit lui-même. Depuis la rentrée de septembre, il se rendait à l'entraînement tout seul, en revenait tout seul, et j'avais réussi à esquiver toute demande d'accompagnement à un quelconque tournoi ou match. J'étais très fière du succès de cette stratégie d'évitement, je m'en étais même vantée à la machine à café d'Hégémonie, m'autoproclamant mère indigne en riant. Je pensais alors sincèrement qu'il s'agissait d'un synonyme de « qui mène de front sa vie de mère et sa vie professionnelle »...

J'ai senti mon cœur se serrer, réalisant à quel point je m'étais tenue à l'écart de cette passion de Louis, à quel point, sur le ton de la boutade permanente, mes esquives avaient dû lui paraître injustes. L'approbation, le regard d'un parent sont tellement importants. Depuis de nombreux mois, je n'avais pas accepté de donner une seule minute de mon précieux temps au football. Le foot n'en souffrirait pas, pensais-je alors. Le foot n'en avait pas souffert, ça je pouvais en être sûre, mais Louis ? Ce rejet en bloc de la passion de mon fils n'était-il pas celui-là même qui m'exaspérait lorsque j'étais adolescente ? Comment avais-je pu reproduire aussi naturellement le comportement de ma mère ? Louis avait eu l'air de s'en accommoder...

155

bien sûr, que pouvait-il faire d'autre ? Et qu'est-ce que cela m'aurait coûté de montrer un peu d'intérêt ? Quelques heures debout sur des gradins, quelques applaudissements, quelques encouragements, quelques sourires dans mes yeux, dans les siens. Ça aussi, j'étais passée à côté et ça me rendait malade.

Je pouvais de moins en moins supporter ce que je découvrais de moi, de mon comportement passé. Je voulais tout changer de ma vie, tout changer pour que tout soit différent, pour que tout soit meilleur. J'avais eu une grande conversation avec maman à ce sujet la veille. Ou plutôt maman m'avait sorti un de ces monologues dont elle seule a le secret :

— Tu ne peux pas jeter le bébé avec l'eau du bain, m'avait-elle asséné. Tu n'es pas une mère parfaite, tu n'es pas une femme parfaite, tu n'es pas une fille parfaite, ça je peux te le garantir... mais tu fais de ton mieux au moment où tu vis les choses. Chacun se débrouille comme il le peut, et il n'y a pas d'un côté les mères parfaites et de l'autre les connasses, mon petit chaton chaud. Je t'ai vue avec Louis, des milliers de fois. Dans ses yeux, tu es la mère parfaite, car tu es sa mère. N'en doute jamais. Si Louis est ce qu'il est aujourd'hui – et c'est pas parce que c'est mon petit-fils, mais objectivement c'est un garçon admirable d'intelligence, de finesse et de gentillesse... eh bien, s'il est comme ça aujourd'hui c'est grâce à toi. Ce petit, c'est toi qui l'as élevé, et tu peux en être fière. Non, ne dis rien, je te vois hocher la tête et tu vas sortir une bêtise plus grosse que toi. Tu peux être fière de toi. Moi, je suis fière de toi.

Ma mère a le don de réussir à me faire chialer avec ses grandes tirades sur la vie au moment où j'en ai besoin. Ça doit être ça aussi, une mère.

J'ai attrapé mon téléphone et ai appelé le centre d'animation. Oui, il y aurait bien des stages pendant les vacances. Non, aucun stage pour les adultes. Pour les stages enfants et ados, il faut vous adresser directement à Edgar. Ses entraînements ont lieu le mercredi après-midi et le vendredi soir.

Merci madame, j'irai donc m'inscrire auprès d'Edgar, c'est entendu.

15

Jours 15 à 10
EDGAR

— Allez on pose les ballons et on peut aller boire…
dans le calme !

Putain, j'étais en train de caner. Mes poumons
brûlaient comme jamais, et tous les muscles de mon
corps me faisaient souffrir le martyre. J'en avais
même découvert certains dont j'ignorais l'existence.
Comment était-il possible d'avoir mal entre les côtes
et aux biceps en jouant au football ? J'imaginais bien
en me lançant là-dedans que j'aurais quelques cour-
batures, mais je n'avais pas pensé être envahie de
douleurs de la tête aux pieds. J'étais en train de payer
mon inactivité des vingt-cinq dernières années. Si je
n'avais pas promis à Louis, j'aurais abandonné depuis longtemps ces séances de torture. Nous étions
le troisième jour, il m'en restait encore un. J'étais à
deux doigts de graver des petits bâtons sur un arbre,

telle une condamnée comptant les heures la séparant de la liberté.

Edgar s'est approché, m'a demandé si tout allait bien. J'aurais pu lui répondre sèchement que bien sûr, je n'avais jamais été aussi au top de toute ma vie, que j'avais toujours rêvé de me vautrer dans la boue avec une bande de prépubères sentant la transpiration… mais je me suis abstenue. J'ai remis en place mes cheveux tout en acquiesçant, oui oui tout va bien, un peu fatiguée c'est tout. Doux euphémisme pour quelqu'un dont les appareils musculaire et respiratoire étaient en train de se liquéfier.

Edgar. S'il y avait bien quelque chose de positif dans toute cette expérience, c'était ma rencontre avec Edgar. Ce mec était incroyable. Je cherchais la faille sans la trouver. Ce que je ressentais était étrange, nouveau. Je pestais à longueur de journée contre lui, ses exercices, son autorité naturelle qui faisait taire les plus rebelles de mes codétenus préadolescents, et en même temps je l'admirais. Je l'admirais pour sa simplicité, son authenticité, sa force quasi animale, et les fêlures que j'avais ressenties. J'avais l'impression de le connaître depuis toujours.

Lorsque je me suis présentée à l'entraînement du vendredi soir pour demander des renseignements et m'inscrire – la mort dans l'âme – à un éventuel stage, j'ai dû patienter dans un petit local attenant au terrain de sport du centre d'animation, sirotant un café trop sucré tout en peaufinant ma stratégie. J'ai finalement obtenu après un deuxième appel téléphonique la brochure spéciale « vacances de février », sur laquelle j'ai repéré deux stages de foot successifs de quatre jours chacun, l'un pour les huit-douze ans, l'autre pour les treize-seize ans.

Je comptais jouer franc-jeu avec Edgar, lui expliquer très exactement mon projet. Je pressentais les réticences qu'il pourrait m'opposer. J'avais apporté le certificat d'hospitalisation de Louis afin de prouver ma bonne foi et d'éviter qu'il me soupçonne d'être une prédatrice pédophile. Je m'étais préparée à toutes les réactions. Et j'étais prête à le soudoyer s'il le fallait.

J'attendais le fameux Edgar, et je l'imaginais semblable à M. Ducros, mon professeur d'EPS de troisième que l'on surnommait « le Petit Ninja » parce qu'il était à la fois minuscule, bedonnant et d'une agilité surprenante. M. Ducros pouvait nous faire des démonstrations de gymnastique hallucinantes, se transformer en une boule sautillante d'énergie alors même qu'en le voyant, personne n'aurait parié un centime sur sa capacité à enseigner une quelconque discipline sportive.

J'étais perdue dans mes souvenirs, les yeux dans le vague, lorsque j'ai vu entrer dans la salle l'inconnu rencontré au cours de la petite sauterie chez Charlotte. Mes narines ont frétillé, se remémorant l'odeur de bière sèche qui m'avait suivie tout au long de ces heures d'errance au bord du canal Saint-Martin. Je n'avais ni envie de me replonger dans les sensations de cette soirée synonyme d'échec et de douleur, ni envie de conter fleurette, même si mon gentleman était toujours aussi séduisant. J'ai détourné les yeux, scrutant à l'en user la décidément passionnante brochure des stages.

— Bonjour, on se connaît, non ? Vous êtes... nous nous sommes rencontrés à l'anniversaire de ma sœur.

— Bonjour, je... oui je me souviens... bonjour – pardon je l'ai déjà dit... Vous êtes le frère de Charlotte ? Je ne savais pas qu'elle avait un frère plus âgé... enfin je veux dire...

— ... que je fais plus vieux qu'elle ? Que j'étais anachronique dans cette soirée de jeunes ? Je ne vous en veux pas, je l'ai pensé aussi et j'ai été agréablement surpris de vous rencontrer ce soir-là... enfin je veux dire...

— ... que je faisais plus vieille que la moyenne de la soirée ? Que j'étais anachronique moi aussi ? Je suis d'accord, et je crois que nous sommes quittes.

Mais quelle débile... incapable d'aligner trois mots correctement et ponctuant mes tirades de petits rires idiots... Je m'étais donc ridiculisée deux jours auparavant devant le frère de la jolie Charlotte, qui était aussi blonde qu'il était brun. Le lien de parenté était insoupçonnable. J'allais tenter de m'échapper de nouveau mais il ne m'en a pas laissé la possibilité.

— Je suis heureux de vous revoir, vous êtes partie si brusquement l'autre soir, nous n'avons même pas eu le temps de nous présenter.

— Désolée... je m'appelle Thelma.

Je lui ai tendu la main, il l'a prise et l'a gardée quelques secondes de plus que ce qui était nécessaire.

— Je sais qui vous êtes. Je vous ai décrite à ma sœur après la soirée, et elle m'a... expliqué la situation. Je suis désolé pour votre fils, Thelma, sincèrement. D'autant que je l'aime beaucoup.

— Je vous demande pardon ? Qui aimez-vous beaucoup ?

— Votre fils, Louis. Lorsque ma sœur m'a raconté... je me suis rendu compte que... on se parle très peu de notre boulot avec ma sœur. Elle fait un travail difficile dans ce service de réanimation, alors quand on se voit, on parle de tout sauf de son quotidien à l'hôpital, en tout cas elle ne me parle jamais de ses patients, et je ne lui parle jamais de mes gosses... Enfin, pas les miens à proprement parler, ceux que j'entraîne. Le monde est petit, Paris est un village et il se trouve que ma sœur soigne en ce moment l'un de mes élèves : votre fils Louis. Je m'appelle Edgar. Enchanté, Thelma.

Oh my God. Oh my God. Oh my God. Oh my God (comme dirait mon fils). Ce mec auprès duquel je m'étais ridiculisée était le frère de Charlotte *et* l'entraîneur de foot de Louis. Un 2-en-1 pour le moins inattendu, d'autant qu'il ne ressemblait ni à Sophie Davant ni à M. Ducros le Petit Ninja.

Nous nous sommes assis un instant, et je lui ai exposé calmement la raison de ma présence. Mon histoire l'a touché, c'était visible. Il m'a répondu qu'il était d'accord pour que je participe à son stage, et m'a un peu vexée en m'indiquant qu'il préférait me mettre avec les huit-douze ans. Les treize-seize ans étaient assez terribles et je pourrais me prendre de mauvais coups, ce qui n'était pas le but recherché. Par ailleurs, il avait bien compris l'urgence dans laquelle je me trouvais, et le stage des plus petits était celui qui commençait le plus tôt. Dimanche très exactement. Il a ajouté qu'étant donné les circonstances il était possible que je ne fasse qu'un ou deux jours de stage, mais j'ai insisté pour réaliser la totalité des quatre jours. C'était ce que Louis aurait fait, c'était donc ce que je devais faire. Je devrais juste accélérer la cadence sur les épreuves suivantes – en espérant qu'il ne s'agisse pas de nouveaux stages longue durée. Edgar a souri en m'entendant prononcer le mot « épreuve », qui m'avait échappé. Il m'a ensuite donné son numéro de téléphone et demandé le mien, afin de me prévenir s'il y avait une annulation de dernière minute – officiellement.

Le lendemain matin, j'ai expliqué à Louis ce que j'allais faire. Charlotte m'a glissé que son frère était un entraîneur implacable et qu'il valait mieux que j'effectue quelques petits exercices avant, sinon j'allais souffrir. J'ai bien entendu ignoré ses conseils. J'ai passé le samedi après-midi à me préparer physiquement, à ma façon : il s'agissait de trouver une tenue qui ne me transformerait pas en sac informe à crampons et de me documenter sur le football en regardant deux matchs… qui ont confirmé mon absence d'intérêt pour ce sport (je me suis systématiquement endormie à la mi-temps) et mon incompréhension de ses règles.

★

Le premier jour du stage, j'étais la grande attraction. Onze gamins surexcités me dévisageaient, pliés de rire à l'idée que je m'entraîne avec eux. Edgar avait évité de leur dire que j'étais la mère de Louis car la plupart le connaissaient, et il ne voulait pas que cela interfère avec l'entraînement. Il ne voulait pas non plus avoir à justifier ma présence auprès de parents qui auraient pu exiger de participer au stage eux aussi… Edgar m'a donc présentée comme une journaliste effectuant un reportage sur le foot. C'est pour ça que je porterais toujours un casque muni d'une petite caméra dirigée sur mon visage, pour capter mes impressions. Tout le monde devrait se comporter normalement avec moi, de manière respectueuse – n'oubliez pas que c'est une adulte – mais en me considérant comme une élève parmi d'autres. Pas de traitement de faveur, tout le monde fera les mêmes exercices avec la même discipline, il n'y aura pas d'exception. L'espace d'un instant, j'ai vu briller au fond de ses yeux la flamme des profs de sport, une réminiscence de M. Ducros le Petit Ninja, l'étincelle à destination des déserteurs – dont j'étais – pour leur notifier une tolérance zéro. Je lui ai souri d'un air entendu qui pour moi signifiait « nous nous sommes compris, je ne vais pas faire exactement comme ces enfants, je pourrai exercer un droit de retrait »... mais il ne m'a pas rendu mon sourire : il était sérieux. J'ai compris que j'étais dans la merde.

Il y avait à mes côtés neuf garçons et deux filles. Je me suis immédiatement demandé si l'une d'entre elles était cette Isa dont Louis parlait dans son carnet précieux, mais ces jeunes filles se prénommaient Dora et Zara. Une héroïne de dessin animé et une marque de vêtements, rien à signaler donc, même si les deux étaient plutôt jolies et souriantes. Les garçons portaient des prénoms divers et extravagants, propres à cette génération de parents qui aiment exercer leur créativité dans les premières heures de vie de leur progéniture. J'étais donc entourée de Miles, Esteban, Jean-Rachid, Artus, Leonardo, Amadou, Gabor, Aly-avec-un-y et Milou.

Edgar nous a divisés en quatre sous-groupes, nous avons enfilé des maillots jaune fluo, et nous sommes dirigés vers l'un des quatre ateliers. J'étais avec Milou et Jean-Rachid, que les autres appelaient Rachid tout court. Ils avaient l'air super fiers d'être avec moi, et

Milou m'a même appelée maîtresse à un moment donné. Ça a fait pouffer de rire Rachid, qui lui a rétorqué que j'étais pas une maîtresse, que ça se voyait. Je lui ai demandé pour quelle raison il pensait ça, et il a répondu que j'avais l'air de pas trop aimer les enfants. J'ai arrêté la caméra, je voulais qu'il m'explique, mais Edgar nous a vus et nous a ordonné de commencer le premier atelier. J'ai compris très vite ce que Rachid avait voulu dire, à quel point je devais leur paraître distante, hautaine. Depuis le début de la matinée, j'étais bien plus focalisée sur la caméra que sur l'instant présent. Je me suis ressaisie, ai souri à Rachid en lui disant qu'il allait voir ce qu'il allait voir, que j'allais lui donner du fil à retordre avec ma grande expérience du foot. Il a rigolé, m'a tapé dans la main et a dit on y va.

Ça, pour y aller, on y est allé. Putain, ça faisait trois jours qu'on y allait, ces gosses étaient increvables. J'ai essayé diverses techniques pour esquiver certains ateliers. J'ai tenté mon grand classique : la cheville tordue. Edgar a demandé aux enfants de voter pour savoir si oui ou non je m'étais tordu la cheville, ils ont tous voté non. J'ai tenté le coup de fil important auquel je devais répondre, Milou a témoigné que je n'avais pas été appelée. J'ai tenté de soudoyer un enfant à grand renfort de bonbons, et là ça a marché : Dora a bien voulu faire semblant de se sentir mal, j'ai proposé à Edgar de m'occuper d'elle et il n'a pas eu d'autre choix que d'accepter.

Nous avons passé deux heures superbes avec cette petite Dora, nous avons joué à « je pense à quelqu'un », à « cap ou pas cap », à « action ou vérité », elle m'a raconté des blagues de son âge – Dora venait tout juste d'avoir douze ans – et j'ai ri comme je n'avais pas ri depuis un siècle. En riant avec elle dans ces vestiaires qui suintaient l'humidité et la chaussette sale, j'ai senti monter une nausée. D'abord imprécise, puis plus présente, oppressante.

L'énergie, le magnétisme solaire de cette jeune fille contrastaient douloureusement avec mon enfermement, ma solitude. Au plus profond de moi a résonné l'écho du vide. Le rire de Dora m'a tendu un miroir, dans lequel je n'ai rien vu d'autre qu'un trou noir. J'étais absente de ma propre vie depuis bien longtemps. Bien avant l'accident de Louis.

J'ai tenté de me concentrer de nouveau sur Dora, ses plaisanteries, ses boucles blondes, son esprit pétillant. Mais je n'y suis pas parvenue. Une porte venait de s'ouvrir, il m'était impossible de contenir le flot d'images qui se déversait soudain. Je mesurais à quel point les moments de complicité avec un enfant pouvaient être précieux, à quel point je n'avais pas pris suffisamment de temps pour les partager avec Louis, à quel point j'avais été égoïste, autocentrée, accaparée par mon travail. À quel point j'avais délaissé l'essentiel.

Les larmes sont arrivées, silencieuses. Depuis quand n'avais-je pas passé deux petites heures, deux minables heures en tête à tête avec mon fils ? La honte a rejoint les larmes, a charrié les mots. J'ai senti leur poids me terrasser. Des mots lourds, terribles de vérité : tu as été une mauvaise mère, Thelma. Tu aurais pu faire tellement plus, tu aurais dû faire tellement mieux.

J'ai tenté de dissimuler mon émotion derrière le lâche paravent de la poussière dans l'œil, mais à ma grande surprise Dora m'a prise dans ses bras. Je me suis dit que je venais d'ajouter le ridicule à la honte. Pourtant, dans les bras frêles de cette jolie jeune fille, quelque chose en moi a cédé. Elle s'est mise à me parler, à me rassurer comme on apaise un enfant au beau milieu de la nuit. C'était le monde à l'envers.

Puis elle a prononcé quelques mots qui — elle et moi ne le savions pas alors — allaient changer à jamais le cours de nos existences.

16

Jours 15 à 10
DORA

— Papa m'a tout expliqué. Moi aussi, j'aime beaucoup Louis. C'est pour ça que papa m'a laissée partir avec vous dans les vestiaires. Vous savez, il ne vous a pas crue, il sait quand je me sens mal parce que j'en fais toute une histoire. Je ne suis pas bonne comédienne et je déteste les gens qui mentent. Papa aussi d'ailleurs. Là je crois que vous aviez besoin de pleurer, il fallait pas laisser ça là-dedans, fallait que ça sorte. Papa me dit toujours : « Isa, ma chérie, il vaut toujours mieux montrer ses sentiments et avoir l'air bête que garder des trucs pas nets à l'intérieur de toi. » Je crois qu'il a raison, et c'est pas parce que c'est mon père, hein ? Ah et au fait je déteste les bonbons. Je sais, c'est bizarre, tout le monde aime les bonbons. Il faut croire que je suis pas comme tout le monde.

Je me suis redressée. J'ai essuyé mes larmes. J'étais sonnée par cette tirade d'une incroyable maturité. Cette petite venait de déverser sur moi en quelques phrases une quantité d'informations que mon cerveau avait du mal à traiter :

1. Elle avait parlé d'Edgar en disant papa.
2. Elle connaissait Louis.
3. Elle avait parlé d'elle-même en disant Isa.
4. Elle n'aimait pas les bonbons.
(Rayer la mention inutile.)

Reprenons. Elle était la fille d'Edgar. Ses propos étaient sans équivoque. Encore une fois la parenté n'était pas flagrante. Maintenant que je savais le lien, je pouvais déceler quelques similitudes avec Charlotte, à la rigueur. Edgar dénotait clairement dans cette famille de blondes. Je me suis demandé à quoi pouvait ressembler la mère de cette enfant et j'ai ressenti un pincement irrationnel. Je l'imaginais très belle, très blonde, aussi blonde que j'étais brune. J'ai toujours eu une dent contre les blondes. Il y a quelque chose de l'ordre de l'envie, du désir avec les blondes. Les blondes sont un fantasme accessible. Pour les hommes comme pour les femmes. Les brunes sont la réalité, la tapisserie qui s'intègre bien au paysage, qui ne fait de vagues que si le brun vire au jais. La brune, c'est cet entre-deux qui ne révèle sa saveur que lorsqu'on le goûte vraiment. J'ai parfois pensé à me teindre en blonde, j'y ai toujours renoncé, pleine de grands principes, de carcans de pensée. Peut-être aurais-je dû essayer, finalement.

Autre information cruciale distillée l'air de rien : elle était de toute évidence l'Isa de Louis. Celle qui avait serré mon cœur dès la première page du carnet précieux. J'ai éprouvé à la fois un immense soulagement et une immense gêne. Soulagement de pouvoir enfin mettre une image sur celle que j'avais rêvée mille fois ces dernières semaines. De pouvoir y associer un visage d'enfant, surtout. Cette Isa aurait pu être une adulte, à laquelle Louis se serait confié, à laquelle il aurait accordé de l'importance. J'en aurais crevé de jalousie. Louis était mon enfant, je ne supportais pas cette idée du vol de l'attention de mon fils par une autre femme. Je remerciais le ciel – le ciel, juste le ciel, il n'y avait aucune entité divine dans mon imaginaire – que cette Isa soit une enfant, une préadolescente, peu importe. Tout sauf une autre femme. Immense soulagement donc, mais immense gêne de m'être ainsi ridiculisée devant elle, dévoilant une à une les facettes les moins brillantes de ma personnalité : je m'étais montrée tricheuse, râleuse, fuyarde, paresseuse, pleureuse. Au moins, je n'avais pas trompé sur la marchandise.

C'est à cet instant précis qu'Edgar et le reste de la troupe ont envahi l'espace confiné des vestiaires, faisant monter d'un cran les niveaux sonore et olfactif.

Certains scandaient des « on a gagné », imitant les gestes de victoire de leurs idoles des terrains, d'autres soufflaient rageusement et affichaient la mine d'un présidentiable découvrant l'issue fatale d'un scrutin âprement bataillé. Edgar riait en frottant les têtes des malheureux, trouvant les mots pour soulager. Une spécialité familiale, apparemment. Je me suis levée, et dirigée vers le vestiaire des adultes. Avant de partir, j'ai voulu remercier Isa.

— Merci, Isa... ou Dora ? Comment faut-il t'appeler au final ? J'avoue ne plus rien comprendre...

— Les deux, mon capitaine. Je m'appelle Isadora. Comme la danseuse, Isadora Duncan. Maman était danseuse. Papa... papa m'appelle Isa, tous les autres m'appellent soit Dora soit Isa, alors c'est comme vous voulez.

J'ai repris mon sac de sport et suis sortie lentement de l'enceinte du stade, prenant le temps de digérer toutes ces nouvelles.

J'étais exténuée.

Au moment où je franchissais les grilles, Edgar m'a rattrapée et ne m'a plus lâchée. Littéralement. Il m'a invitée à dîner chez lui, chez eux. J'ai protesté pour la forme, mais j'ai très vite accepté.

J'ai pénétré leur univers. J'en avais envie.

★

Edgar et Isadora vivaient en colocation avec Charlotte. Une colocation choisie, joyeuse. L'appartement était celui de ma première rencontre avec Edgar, mais l'impression avec cinquante personnes de moins était bien différente. Malgré la petite surface, chacun avait une chambre, son intimité.

— C'est important pour tous, surtout pour les collégiennes, avait plaisanté Edgar en lançant un clin d'œil complice à sa fille.

Charlotte était de garde à l'hôpital, nous étions trois ce soir-là. Isadora m'a emmenée dans son antre. En apercevant les posters de footballeurs, j'ai senti mes jambes se dérober. J'ai dû m'appuyer contre un mur pour ne pas flancher. Cette chambre ressemblait tellement à celle de Louis, c'en était troublant. Je comprenais maintenant le lien, la passion commune. L'attraction de ces gestes de victoire extatiques sur papier glacé. Tous ces champions exultaient, dégageaient fierté et ivresse extrêmes. Instantanés viscéraux de bonheurs éphémères, tellement séduisants. Je n'ai pas osé poser de question à Isa sur sa relation avec Louis. Elle m'a tendu une écharpe signée d'un obscur joueur. Elle s'est moquée gentiment, se demandant comment il était possible de ne pas connaître Zlatan Ibrahimovic, je lui ai répondu c'est très simple, tu vois... puis je lui ai rendu l'écharpe sacrée. Elle a pris un air solennel et me l'a déposée de nouveau entre les mains telle une offrande, me demandant de la donner à Louis dès qu'il se réveillerait. Car il allait se réveiller, elle en était sûre. Je l'ai serrée dans mes bras et me suis mise à pleurer. Elle m'a écartée en se forçant à rire, me disant « ah non ça va pas recommencer, hein »... le monde à l'envers, toujours. Je l'ai remerciée. Je pensais que Louis serait très heureux de ce cadeau. Elle aussi le pensait.

Nous avons mangé des pizzas, assis à même le sol. Edgar avait mis en fond sonore la bande originale du film *La Leçon de piano*, de Jane Campion. Je l'ai reconnue dès les premières notes. Ce choix était excellent, c'était l'un de mes films préférés, et la musique en était tout simplement renversante. Le portrait d'Edgar a commencé à se préciser dans mon esprit. Edgar était un homme qui parvenait à se faire respecter aisément de tout un groupe d'adolescents, un homme qui portait une attention d'une qualité rare à sa fille, qui avait bâti avec elle une complicité faite de respect mutuel et de taquineries, un homme capable de se jeter dans la boue le matin et de s'émouvoir aux notes bouleversantes du piano de Michael Nyman le soir, un homme au sourire généreux et aux yeux noirs mélancoliques, un homme qui devait avoir un succès fou avec les femmes mais qui semblait peu conscient de l'attraction qu'il exerçait sur elles — j'avais vu cette semaine les mères qui minaudaient en venant chercher leurs enfants après l'entraînement de foot... et Edgar par-ci, et Edgar par-là. Je sentais en lui un tumulte de joies et de douleurs. Isadora avait parlé de sa mère au passé. Qui était-il, qu'avait-il vécu ? J'étais de plus en plus intriguée. Je bouillais intérieurement. Je voulais en savoir plus.

Au bout de quelques minutes, le vous s'est mué en tu, j'ai commencé à lâcher prise, à me détendre. Louis restait dans un coin de ma tête, toujours. Tout me ramenait à lui. Je franchissais un cap fondamental en m'autorisant à dîner avec d'autres. Je me suis dit que ces personnes étaient dans le carnet précieux de mon fils, qu'elles avaient de la valeur pour lui, qu'implicitement Louis avait validé cette rencontre, que Louis lui-même m'avait dirigée vers Isadora et Edgar. En restant, je rentrais dans le monde de mon fils, d'une certaine façon. Je constatais que j'y prenais beaucoup de plaisir.

Vers 22 heures, Isa a déclaré qu'il était temps pour elle d'aller se coucher – j'étais abasourdie, moi qui luttais chaque soir pour que Louis daigne se diriger vers sa chambre. Elle nous a embrassés, et Edgar l'a accompagnée jusqu'à son lit.

Je suis restée seule dans le séjour, quelques instants. Le contraste avec mon propre salon était saisissant. Chez moi, tout était design, aseptisé, impersonnel. Dans ce salon le désordre faisait partie du décor. Des magazines traînaient sur le sol, quelques jeux aussi. Le buffet en bois massif était chargé de bibelots poussiéreux, mais personne ne pouvait en vouloir aux habitants des lieux. Le visiteur comprenait au premier regard qu'ici, ils avaient bien mieux à faire que la poussière. Ils avaient à vivre. Ici tout était furieusement vivant.

Je me suis levée, j'ai rassemblé mes effets personnels.

— Merci encore Edgar, c'était vraiment délicieux.

— Faux, bien sûr. Pizzas industrielles, cuistot pas terrible… mais c'est gentil quand même. En revanche tu es debout, tu commences à parler comme si tu allais partir, mais c'est évidemment hors de question. Tu ne m'esquiveras pas une nouvelle fois.

— Je ne t'esquive pas, Edgar. Je ne sais pas si tu as remarqué mais je passe mes journées avec toi en ce moment.

— Faux, toujours. Tu passes surtout de longues heures à papoter dans les vestiaires… Je plaisante. Tu sais bien ce que je veux dire…

Une hésitation, une respiration.

— J'aimerais que tu restes.

Il s'est approché, a doucement reposé mon manteau et mon sac sur le canapé. Sa main a frôlé la mienne, ou bien était-ce plus qu'un frôlement ? J'ai senti un frisson me parcourir le corps.

Je suis restée.

Edgar m'a proposé une tisane, je lui ai rétorqué que je n'étais pas encore une vieille mémé, que je préférais qu'il ouvre plutôt une deuxième bouteille de vin. Au fil de la soirée, sous l'effet combiné de l'alcool et des chuchotements « pour ne pas réveiller Isa », la langue d'Edgar s'est déliée. Je n'ai rien demandé. C'est lui qui a parlé, spontanément, librement. À plusieurs reprises je lui ai affirmé qu'il n'était pas obligé de me raconter. Il m'a répondu en avoir envie. En avoir besoin.

J'ai appris leur histoire. Triste à pleurer. À en mourir. Aussi noire qu'ils étaient lumineux.

III
PRINCES ET PRINCESSES

17

Jours 15 à 10

IN VINO VERITAS

Il y a quelques années encore, Isadora avait une maman. Edgar avait connu Madeleine lorsqu'ils étaient enfants. Ils s'étaient aimés à la folie.

★

Années 1980. Le père d'Edgar est employé de banque, sa mère est professeur de danse. Elle tient une petite école rue Paradis, à Marseille. Cela ne s'invente pas. La danse est toute sa vie, c'est pour cela qu'elle a choisi ce prénom pour son fils, en référence au célèbre peintre impressionniste Edgar Degas, dont les merveilleuses danseuses décorent les murs de l'école. Madeleine est l'une de ses élèves. La meilleure. La plus belle aussi. Madeleine rêve d'étoiles, de Bolchoï, d'Opéra de Paris. Après sa journée de classe ou son entraînement de football, Edgar rejoint sa mère à l'école de danse, invariablement. Il fait ses devoirs d'un œil distrait, puis se positionne dans un coin de la salle et observe, dessine. Sa mère n'est pas peu fière de son talent. *Mon Edgar deviendra un grand artiste lui aussi,* répète-t-elle souvent.

Edgar dessine des danseuses. Plus les années passent, plus son crayon s'attarde sur les traits de l'une d'elles. Edgar dessine Madeleine, Madeleine ne le sait pas. À quatorze ans, Edgar se décide enfin à faire le premier pas. Il offre à Madeleine un portrait, immortalisant son geste précis, la perfection de son arabesque. Elle est émue aux larmes. Madeleine et Edgar ne se quitteront plus.

Madeleine aime les dessins d'Edgar. Elle le pousse à persévérer, à exposer. Tandis qu'Edgar étudie aux Beaux-Arts de Marseille, Madeleine auditionne, tombe, se relève, tombe de nouveau. Après quelques années, comme nombre de danseuses, elle opte pour la sécurité, enseignant au sein de l'école de danse familiale. Madeleine est heureuse, sa vie s'est construite autour de sa relation avec Edgar. Lui commence à se faire une réputation, chacune de ses œuvres se vend plusieurs milliers d'euros. Il n'en écoule pas beaucoup, et les revenus de Madeleine assurent une stabilité bienvenue à cette famille d'artistes.

Puis Isadora arrive, il y a de cela douze ans. Le bonheur dure jusqu'à l'entrée d'Isadora en cours préparatoire. Ensuite leur monde s'écroule.

Un matin de septembre, les parents d'Edgar embarquent à bord du vol MX484 à destination de La Havane. Quarante ans de mariage, il faut marquer l'événement. La famille, les amis se cotisent pour offrir une nouvelle lune de miel aux tourtereaux. Cuba est leur rêve de toujours. *La retraite, c'est une nouvelle vie qui commence,* plaisante la mère d'Edgar lors de son émouvant discours d'adieu à l'école de danse, dont elle a confié les rênes à Madeleine quelques semaines plus tôt.

L'avion ne parviendra jamais à Cuba. L'Atlantique ne livrera jamais rien. Toutes les hypothèses sont envisagées : défaillance humaine, panne moteur, attaque terroriste… Aucune boîte noire n'est jamais retrouvée. Le deuil est impossible pour les familles des trois cent trente-sept personnes ayant péri à bord. Il faut pourtant l'entamer.

Edgar tente de noyer son chagrin dans ses tableaux. Il les juge répétitifs, désolants. La flamme a disparu. Madeleine subvient, seule, aux besoins du foyer. Tous deux protègent Isadora, autant qu'il est possible. Madeleine passe de plus en plus de temps au studio de danse, se faisant un devoir de perpétuer la mémoire de celle qui lui a tout donné : sa passion, son école, son fils. Elle semble épuisée, c'est bien normal étant donné son rythme.

Le 20 décembre 2011 – Edgar s'en souviendra pour le restant de ses jours – vers 18 heures, alors qu'Isadora est encore dans son bain, Edgar reçoit un appel. Hôpital de la Timone. Madeleine a fait un malaise, en plein cours de danse. Les pompiers sont venus la chercher et l'ont amenée là pour des examens complémentaires. Sûrement un gros coup de fatigue, lui dit-on alors. Edgar sèche Isadora à toute vitesse et file à travers les rues encombrées de la cité phocéenne au volant de sa vieille Clio grise. Son esprit lui indique que tout ira bien, lui ordonne de ralentir, de calmer sa fébrilité, mais son cœur lui dit tout le contraire. Son cœur ne cesse de frapper sa cage thoracique à grands coups sourds. Son cœur a toujours eu une longueur d'avance sur son esprit.

Le diagnostic tombe comme un couperet, incompréhensible et pourtant limpide. Edgar maudit son cœur d'avoir trop compris. Cancer des canaux biliaires intra-hépatiques. Rare. Redoutable. Foudroyant. Métastasé, les chances de s'en sortir sont de l'ordre de 5 %, nous sommes désolés, monsieur.

Durant trois mois, Madeleine lutte. Madeleine n'abandonne pas. C'est long, trois mois. C'est court, trois mois. Quelques heures avant de mourir, Madeleine plaisante encore avec sa fille. Ses dernières pensées sont pour elle. *Elle ne doit jamais me voir pleurer. Elle doit garder de moi l'image d'une femme qui se bat. Les femmes savent se battre si on leur apprend à le faire lorsqu'elles sont encore des petites filles. Je le lui apprendrai jusqu'à mon dernier souffle.*

★

Edgar a fait une pause dans son récit. Je l'avais écouté religieusement, sans l'interrompre. En déroulant le fil fragile de sa vie sous mes yeux, Edgar était à la fois habité, empreint de gravité et d'une distance salvatrice. Se tenir le plus éloigné possible des profondeurs afin de ne pas sombrer. Colossale dignité.

J'étais pour ma part dans un état lamentable. Visage dévasté par les larmes, reniflements sonores, mouchoirs surutilisés. Edgar m'a tendu une nouvelle boîte. Je lui ai demandé pourquoi il me racontait tout ça. Il m'a répondu que c'était nécessaire. Que je ne pouvais pas le connaître si je ne savais pas ça de lui. C'était en lui, ça le serait toujours. J'ai failli lui signaler qu'il était un peu présomptueux de penser que je voulais le connaître aussi précisément, mais je me suis abstenue. Cela aurait été très impoli, mais surtout totalement faux, car oui : je voulais le connaître.

J'ai respiré un grand coup, me suis resservi un verre de vin. Lui aussi. Recroquevillée sur le canapé, recouverte d'un plaid façon patchwork qu'Isadora avait fabriqué avec Charlotte, je me suis tue. Il a repris, a souri franchement – ce mec était incroyable – en m'indiquant que la suite de l'histoire allait être nettement moins triste.

★

Cette année-là, Charlotte achève ses études d'infirmière. Quelques années auparavant, elle s'est installée dans un minuscule appartement du centre de Paris. Charlotte adore la capitale, ce qui n'était pas gagné d'avance, pour une fille du Sud. Elle est tombée raide dingue de la ville, et de l'un de ses habitants. L'histoire n'a pas duré, mais son amour pour Paris est resté intact. Au cours de ces heures noires de leurs existences, Charlotte suspend ses études afin de venir en aide à son frère, à sa nièce. Et se sauve elle-même. Elle passe six mois avec Isadora et Edgar, panse leurs blessures intérieures. Ils soignent les siennes en retour. Ils ne sont plus que trois, désormais. Ils seront trois, toujours. Ils se le jurent. *Entre nous trois c'est à la vie, à la vie.* C'est leur devise. Gravée dans leur chair.

Puis Charlotte a cette idée géniale. Ils vont tout plaquer. Plus rien ne les retient à Marseille, et Charlotte doit finir ses études d'infirmière. Ils vont trouver un appartement dans Paris, assez grand pour eux trois. Ils vont recréer ce qu'ils viennent de perdre. Un foyer.

Isadora adore l'idée. Edgar ne peut plus vivre à Marseille, arpenter ces rues qui lui rappellent les absents. Edgar doit aller de l'avant. Pour Isa. Pour lui. Pour eux. Charlotte est extraordinaire pour Edgar et sa fille, il n'y a pas d'autre mot. Ce qui les unit aujourd'hui est bien plus fort que le lien fraternel.

Edgar vend l'école de danse. Avec l'argent il tient dix-huit mois, au cours desquels il espère retrouver l'inspiration, se remettre au travail. Mais il n'y arrive plus. Rien n'est plus volatil que l'acte de création. Les économies s'amenuisent et le salaire d'infirmière de Charlotte n'est plus suffisant. Alors Edgar se secoue. Il postule à l'un des nombreux postes d'animateurs qui sont créés par la ville de Paris lors de la réforme des rythmes scolaires. Le salaire est bas et le temps partiel, alors il complète ses revenus en animant des ateliers sportifs au centre de loisirs. Le foot n'est pas sa grande passion, il en a fait quelques années lorsqu'il était en primaire, mais Edgar adore les enfants : le BAFA[1] qu'il a passé à seize ans lui sert enfin.

Depuis plus de deux ans maintenant, Edgar vit, de nouveau. Isadora est son rayon de soleil quotidien. Elle à qui sa mère a enfilé des chaussons dès l'âge de trois ans rejette tout contact avec le monde de la danse, dit préférer le football et s'épanouir ainsi. Une carapace, une protection épidermique nécessaire. Edgar ne dessine plus, c'est terminé ça aussi. La page est tournée.

Bien sûr le passé est — et sera — toujours là, mais Edgar regarde devant lui aujourd'hui. Ce qu'il voit est beau.

★

1. Brevet d'aptitude aux fonctions d'animateur.

Je n'avais pas cessé de pleurer depuis de longues minutes. Leur histoire était bouleversante. Terrible.

Isadora, Charlotte et Edgar étaient des rescapés. Je comprenais mieux ce qui les rendait tous les trois aussi rayonnants : leurs sourires étaient vrais.

C'était un tel message d'espoir pour moi... après chaque cauchemar se lève un jour nouveau. J'attendais l'aube depuis l'accident de Louis, mais je me rendais compte que je devais continuer à avancer dans la nuit, qu'il était toujours possible de se frayer un chemin, quelle que soit l'épaisseur de l'obscurité.

La deuxième bouteille de vin était terminée. Encore une fois, j'ai demandé à Edgar pour quelle raison il m'avait raconté tout cela. Il écoutait son cœur désormais. Il ne faisait confiance qu'à lui. Son cœur lui avait ordonné de me parler, de tout me livrer. Pour pouvoir ouvrir les portes, il faut connaître ce qui est tapi là-bas dans le noir, et ne pas en avoir peur. Edgar savait que mes portes à moi demeureraient fermées, que je n'étais pas encore prête à parler, et d'ailleurs il ne me le demandait pas. Je parlerais plus tard. Le cœur d'Edgar ne se trompait jamais. Son cœur avait su dès qu'il m'avait vue. Dès la première seconde dans cet appartement bondé.

J'étais de plus en plus mal à l'aise. Il s'adressait à moi comme si nous étions un couple. Je le lui ai fait remarquer, il m'a répondu qu'il s'en était rendu compte, bien sûr, que c'était évident. J'ai eu soudain très chaud. À la gêne se mêlaient d'autres sensations, diffuses. Une euphorie déplacée. Une ivresse dissimulée sous des couches de vernis craquelé.

Je suis rentrée chez moi vers 3 heures du matin. Incapable de trouver le sommeil. Je me suis dirigée vers la chambre dans laquelle ma mère dormait. Je me suis penchée sur elle, et lui ai murmuré que je l'aimais.

Dans un demi-sommeil elle m'a dit qu'est-ce que tu fais là mon petit chaton chaud, et m'a prise dans ses doux bras osseux.

Ça m'allait.

18

Jours 9 à 6
COLORE

L'étape suivante du carnet précieux était Budapest, et ce que Louis m'avait concocté là-bas n'était pas piqué des hannetons, dixit ma mère.

Je devais – entre autres – participer à un événement sportif dénommé The Color Run, qui s'autoproclamait « la course la plus joyeuse de la planète ». Maman a cherché sur Internet ce dont il s'agissait et a agité sous mon nez une vidéo pour le moins parlante : des milliers d'individus, vêtus de tee-shirts blancs et de lunettes de protection, se faisaient jeter au visage des nuages de poudres colorées à chaque kilomètre parcouru, finissant logiquement dans un état épouvantable. Je ne voyais pas bien où pouvait se situer le plaisir là-dedans, mais les participants semblaient heureux. Une bande de drogués, sûrement... a tranché maman avant d'apprendre que ces communions masochistes urbaines avaient déjà contaminé plusieurs millions de personnes à travers le monde.

Je me suis mise à stresser lorsque j'ai compris que sous ses apparences festives, ce rassemblement était un semi-marathon, que Budapest était une ville très vallonnée, et que mon organisme était toujours meurtri par la torture footballistique. La course de Budapest n'ayant lieu qu'en mai, il faudrait que je me crée mon propre événement. J'ai eu soudain cette vision pathétique d'un lancer de pigments de moi-même à moi-même, agonisant dans une rue en pente... Il était clair que j'allais avoir besoin d'aide pour gérer la logistique colorée, et mes plus que probables défaillances physiques.

J'ai demandé à Edgar de m'accompagner. Ma mère – qui n'en loupe pas une – a proposé de se substituer à lui, en ricanant avec Charlotte.

— Ne le prends pas mal, maman, mais tu n'es pas tout à fait une armoire à glace, et je vais avoir besoin d'être soutenue physiquement. Edgar me semble une option bien plus solide, voilà tout.

Je suis allée voir mon fils, l'ai félicité de toutes ces ambitions sportives dont je ne soupçonnais pas l'existence, et lui ai expliqué que je comptais sur Edgar pour m'éviter l'arrêt cardiaque sur le fameux pont des Chaînes de la capitale hongroise.

— Edgar va me filmer, et mamie Odette te diffusera le tout en direct sur la tablette. Mamie pourra également m'encourager — n'est-ce pas mamie ? — puisque je garderai les écouteurs et le micro branchés en permanence.

— Oui bien sûr, mon chaton chaud, a-t-elle répondu d'un air trop enjoué.

★

Edgar a pris sa mission très à cœur et s'est chargé de tous les préparatifs. Il m'a expliqué que les poudres se trouvaient très facilement passage Brady, puisque le lancer de couleurs était une tradition ancestrale en Inde : lors de la fête de l'équinoxe de printemps appelée Holi, une foule d'Indiens en liesse déambule dans les rues, s'aspergeant de pigments. Les Occidentaux ont juste repris le concept en l'accompagnant d'une sauce sportive. Non, je n'allais pas être marquée de manière indélébile par cette simple fécule de maïs agrémentée de colorants naturels, et non, nous n'allions pas nous faire coffrer par la police hongroise… tout ça est bien inoffensif, ne t'inquiète pas.

Lorsque nous sommes arrivés à Budapest, Edgar m'a demandé de patienter deux heures avant de le rejoindre au pied du funiculaire de Buda — il avait « quelques détails à régler ».

J'ai commencé à courir, engoncée dans ma doudoune blanche, et j'ai très vite compris que cette course serait un calvaire corporel orné de touches de poésie loufoque. Edgar avait prévu tous les deux kilomètres un petit comité d'accueil, tantôt composé de familles, de vieilles dames, d'étudiants, de commerçants, de touristes amusés par le spectacle que j'offrais bien malgré moi. Mes supporters disposaient un drap blanc sur le sol pour ne pas souiller les jolies rues médiévales, je m'immobilisais quelques instants, fermais les yeux et repartais ornée d'une nouvelle teinte, sous les applaudissements.

Edgar avait délégué tout cela afin d'avoir les mains libres, filmant constamment pour que Louis n'en perde pas une miette. Je ne sais pas ce que mon fils a perçu exactement, mais je peux dire avec certitude que ma mère n'a rien raté de ma prestation.

Putain, si elle avait été devant moi, j'aurais sérieusement envisagé de l'étrangler. Elle n'arrêtait pas de rire dans mes oreilles et avait rameuté la moitié de l'hôpital. Je crois bien qu'il y a eu un pic d'audience d'une dizaine de téléspectateurs parisiens en train de se foutre ouvertement de ma gueule. Elle leur expliquait – hilare – que j'avais toujours été absolument nulle en sport, que c'était une sacrée révélation tous ces talents cachés qu'elle découvrait chez son petit chaton de quarante balais, et que cet assemblage de jaune, de vert, de rose sur mes cheveux révélait enfin au grand jour mon tempérament de punk refoulée.

L'enfer a duré plus de trois heures. Je hurlais à Edgar qu'il faisait un froid de gueux, je m'arrêtais, je repartais, je me forçais à sourire lorsque tous ces adorables Hongrois m'encourageaient. Mais je n'en pouvais plus. À défaut de vraiment le courir, on pourra dire que tu as *marché* le semi-marathon Color machin-truc, a plaisanté ma mère devant une assemblée acquise à ses piques boulevardières. Au bout de deux heures, moi je ne riais plus. J'ai envoyé valser les écouteurs. Edgar est parvenu à survivre à ce qui s'apparentait au comportement d'une femme en plein accouchement, insultes et mains broyées comprises. Malgré la douleur et l'effort surhumain que cette épreuve me demandait, j'étais touchée qu'Edgar se soit donné autant de mal.

Le chemin de croix a pris fin devant le dôme de la basilique Saint-Étienne, en plein cœur de Belváros, la « ville intérieure » de Pest. Je me suis écroulée. Edgar m'a ramenée sur son dos. J'avais loué un petit appartement à quelques mètres de là, avec deux chambres bien sûr, mais surtout une baignoire ancienne incroyable dont j'avais rêvé toute la journée, et dans laquelle je suis restée une bonne heure, massant délicatement mes mollets et mes cuisses endolories. Lorsque je m'en suis extraite, je me suis jetée sur mon lit et je n'ai rouvert les yeux qu'au petit matin.

★

Edgar et moi avons passé le lendemain à visiter la ville. J'ai redécouvert les lieux par lesquels j'étais passée la veille, et j'ai pu cette fois les apprécier à leur juste valeur : les rues escarpées de la colline du château de Buda, la flèche de l'église Matthias trouant le ciel, le grandiose Parlement, le majestueux Danube pas tout à fait bleu, les boutiques et restaurants branchés d'Erzsébetváros…

J'ai adoré Budapest autant que Tokyo. Deux villes aux antipodes l'une de l'autre. Mais dans chacune d'elles, un je-ne-sais-quoi de folie ingénue qui collait bien à mon fils.

J'ai aimé chaque recoin de ces villes comme des morceaux de Louis.

★

Louis avait très bien résumé notre programme du soir dans son carnet. Nous allions devoir nous attaquer à une tout autre forme de course. Un « *marathon de teuf* », ainsi décrit :

> — *Boire des coups dans une dizaine de bars de ruines et ensuite passer une nuit blanche dans la techno party démente des thermes Széchenyi !!! (le tout sans vomir s'il vous plaît…)*

J'espérais que Louis avait prévu d'attendre d'être majeur avant de vivre les aventures alcoolisées dans lesquelles il allait me projeter, mais j'en doutais fort. Moi aussi je « buvais des coups » lorsque j'étais adolescente, pensant naïvement berner ma mère, jusqu'à ce qu'elle me lâche un jour sans ciller que je puais du bec et que ça n'était pas à un vieux singe que j'allais apprendre à boire de la bière.

L'air était glacial, mais Edgar et moi nous sommes réchauffés rapidement en errant de *kert* en *kert*. Les *romkerts*, ce sont ces bars logés dans des immeubles en ruine du vieux quartier juif. Des lieux déroutants de beauté décadente, des décors au grunge savamment entretenu dans lesquels la jeunesse cosmopolite budapestoise dégèle chaque soir ses entrailles. Nous avons dîné dans l'un d'eux, afin d'éponger l'alcool qui s'infiltrait jusque dans nos orteils frigorifiés, puis nous nous sommes dirigés avec appréhension et excitation vers la techno party des bains Széchenyi.

Le lieu était insensé, il fallait bien le reconnaître. Széchenyi, le plus célèbre des établissements thermaux de Budapest, était un somptueux édifice aux allures de palais néobaroque. Nous étions à ciel ouvert, la température extérieure était négative, et l'eau thermale était à 38 °C. L'ocre jaune des murs contrastait avec les éclairages bleus des bassins, et les vapeurs épaisses émanant des piscines tamisaient la blancheur des statues enneigées. Au milieu de ce décor, des milliers de jeunes gens ivres morts dansaient en maillot de bain sur de l'électro hardcore, sautant au rythme d'illuminations laser ambiance fin du monde.

J'ai commencé à bouger moi aussi – je n'avais pas le choix, si je ne voulais pas mourir de froid. D'abord timidement, au bord. J'observais Edgar du coin de l'œil. La lumière intermittente des stroboscopes lui donnait des airs de statue romaine. Il s'est tourné vers moi, m'a souri, s'est penché pour me parler. Il a dit « on ne va pas rester comme ça » puis il a ajouté « à regarder la vie filer sans nous ». Peut-être ai-je mal compris. Peut-être cette phrase n'a-t-elle pas existé. Peut-être l'ai-je imaginée. Edgar a pris ma main et m'a entraînée au cœur de la foule.

Nous avons dansé comme des enfants, de longues heures, jusqu'à épuisement. J'ai dû faire face à de nombreuses tentatives de palpation de mon anatomie… à chacune d'elles, je sursautais, jurais, grondais les malotrus dont j'aurais pu être la mère, et me réfugiais dans les bras d'Edgar qui me filmait, mort de rire.

Toutes ces expériences n'étaient plus de notre âge. Et pourtant, qu'est-ce que c'était bon cet abandon. Qu'est-ce que c'était bon de laisser la raison de côté quelques instants. Je m'apercevais qu'une fois mes vingt ans passés, j'avais moi-même décidé d'entrer dans ce que j'estimais être une vie d'adulte. J'avais regardé avec dédain ces trentenaires hantant les concerts de rock, ces joueurs dédiant des nuits entières à leurs idoles de consoles, ces autres dont le temps libre était consacré à générer des « likes » sur les réseaux sociaux. Tous étaient accros à l'adrénaline de leurs quinze ans. Tous tentaient d'en reproduire les effets, s'échinant le plus sérieusement du monde à joindre le futile à l'agréable. Peut-être avaient-ils raison, au fond.

Cette nuit-là, mon fils m'a aidée à ressusciter quelques pages de jeunesse trop vite tournées. Cette nuit-là, j'ai compris que la vie – la vraie, celle dont on se souvient – n'est rien d'autre qu'une succession de moments de grâce juvénile. Et qu'aucune ambition d'adulte ne peut rendre plus heureux qu'un carpe diem adolescent.

Nous sommes rentrés en taxi, avons récupéré nos valises et avons filé directement à l'aéroport, encore sous le choc thermique et sonore que nous venions de subir.

Épuisés, un sourire accroché aux lèvres.

Extrait du carnet des merveilles

Dépasser les limites !!!! ☺

— *Participer à* The Color Run *et aller jusqu'au bout !! La course de Budapest a l'air cool... surtout parce qu'elle permet d'enchaîner sur le marathon de teuf que j'ai vu sur MTV !!*
— *Le marathon de teuf, donc : boire des coups dans une dizaine de bars de ruines et ensuite passer une nuit blanche dans la techno party démente des thermes Széchenyi !!! (le tout sans vomir s'il vous plaît...)*

19

Jours 5 à 3
TEAM SPIRIT

Depuis quelques jours, nous sommes devenus une vraie équipe. À l'hôpital, cet assemblage hétéroclite d'individus âgés de douze à soixante ans et mobilisés vingt-quatre heures sur vingt-quatre autour de mon fils a été surnommé la « team Louis ». J'ai toujours du mal à l'avouer publiquement, mais partager le poids de mon quotidien avec cette team Louis me fait un bien fou.

Pour l'épreuve suivante – à Paris cette fois-ci –, j'ai décidé d'enrôler Isadora. Il fallait jouer serré car ce que Louis souhaitait obtenir était loin d'être facile. Nous avons répété un petit numéro mère-fille totalement barré. Isadora devait jouer un vrai personnage de composition : elle d'ordinaire si posée, si réfléchie, si avenante… devait être crédible en ado capricieuse, s'adresser à moi comme une charretière et manifester sa frustration par des crises de larmes. En réalité Isa s'amusait comme une folle. Elle jouait tellement juste qu'elle en a fait peur à son père. Isa est entrée dans une colère noire lorsque Edgar a indiqué ne pas avoir sur lui les 2 euros qu'elle lui demandait pour s'acheter son magazine préféré. Elle a tapé du pied, est devenue écarlate et s'est mise à sangloter. J'ai applaudi sa prestation, elle a salué, et nous avons éclaté de rire sous le regard mi-médusé mi-soulagé d'Edgar, qui a vraiment cru un instant que sa fille avait pété une durite.

Notre mise en scène réglée, nous avons enfilé des tenues de gala et foncé en direction de la soirée des NRJ Music Awards, qui se tenait ce 14 février, jour de Saint-Valentin. Une fois dans l'enceinte, nous nous sommes avancées d'un pas décidé vers l'entrée des artistes. Comme prévu, elle était gardée par deux vigiles molossoïdes. Isadora mâchait outrageusement un chewing-gum tout en gardant le nez collé à son téléphone. Elle avait l'air de prendre goût à ce petit jeu de rôle, il faudra qu'Edgar se méfie, dans quelques années…

Le groupe Hégémonie était l'un des sponsors de l'événement. Je me suis donc pointée comme une fleur à l'entrée des loges avec ma carte de visite, qui indiquait toujours que j'étais directrice marketing au sein de l'entreprise. Une carte avec un logo doré qui impressionne. J'ai joué l'hystérique de service hyper flippée, j'ai juré avoir oublié mon accréditation dans le taxi, et lâché quelques noms de personnes importantes en charge de l'organisation – j'avais bien travaillé mon dossier. J'ai continué ce sketch pendant dix longues minutes, et devant la résistance légitime des cerbères, j'ai sorti mon va-tout : ma fille d'un soir. Isadora s'est mise à crier, prenant les vigiles à témoin, leur expliquant que, non seulement à cause de mon boulot, elle ne me voyait jamais, mais qu'en plus, à chaque fois que je lui jurais quelque chose je faisais tout foirer. Que je lui avais promis de l'emmener dans les loges et qu'une promesse était une promesse. Dans un dernier élan théâtral, elle s'est assise à même le sol, pleurant toutes les larmes de son corps. Une jeune femme avec un badge VIP s'est approchée, a échangé quelques mots avec Isadora, puis s'est adressée aux surveillants et leur a dit : « Elles sont avec moi, laissez-les passer. » Bingo.

Une fois à l'intérieur, nous avons remercié cette jolie jeune femme, qui a embrassé Isa en lui demandant si ça irait maintenant. Elle était désolée de nous quitter ici, mais elle devait filer se préparer. Isa m'a sauté au cou à moitié en transe, me remerciant mille fois de lui avoir permis d'embrasser Loulou quelque chose, ses copines au collège allaient être vertes de chez vertes.

— Je t'ai permis d'embrasser Loulou qui ?

— Louane Emera. OK je vois, tu ne la connais pas... Donc ces deux dernières années, tu étais enfermée dans ta cave à écouter des 33-tours de Joe Dassin sur ton mange-disque, c'est bien ça ?

Je n'avais jamais vu Isa dans un tel état d'allégresse. Son sourire si communicatif n'allait plus la quitter de la soirée.

Nous avons parcouru les coulisses, puis nous nous sommes immobilisées. Nous touchions au but. Retenant notre souffle, nous avons poussé cette porte sur laquelle une simple feuille format A4 scotchée de travers annonçait sobrement « Maître Gims ».

Il était là, mais il n'était pas seul. Il s'est levé d'un bond, deux hommes et une femme se sont mis en travers de notre route et ont tenté de nous repousser. Isa est parvenue à se faufiler et à résumer en quelques secondes nos intentions. Louis, le coma, le carnet, notre mission, son aide inestimable. Bon d'accord notre culot, aussi. Je ne sais pas s'il nous a crues, mais le mec s'est mis à rire et a dit OK. Ultra-cool, super swag, mythico-mythique, a déclaré Isadora en sortant. Elle n'en revenait toujours pas, mais elle tenait dans son téléphone la preuve audio irréfutable : j'avais tapé un bœuf avec Maître Gims. Je peux vous dire que m'entendre beugler « Elle répondait au nom de Bella... », ça vaut son pesant de cacahuètes, comme dirait ma mère.

★

Le lendemain matin, j'ai emmené Isa avec moi dans la chambre de Louis. Pour la première fois. Elle ne l'avait pas revu depuis l'accident. Bien sûr je l'avais préparée, lui avais expliqué qu'il avait beaucoup maigri, qu'il était pâle, que ses traits étaient plus durs, qu'il y avait tous ces tuyaux, toutes ces machines. Je m'étais habituée à le voir ainsi, mais pour le petit cœur d'Isa, la réalité a été difficile à supporter. Elle a pleuré en silence de longues minutes, observant Louis, le tenant par la main. Elle l'a embrassé sur la joue. Pour moi aussi, cette scène a été éprouvante. Je suis parvenue à contenir mon émotion, mais je n'ai pu m'empêcher de songer que Louis ne vivrait peut-être jamais aucune histoire d'amour. Qu'il ne connaîtrait jamais cette chaleur au creux du ventre, cette envie, ce besoin de serrer l'autre dans ses bras coûte que coûte.

Puis Isa a progressivement repris sa contenance, sa voix, son verbe naturel, et a raconté à Louis notre soirée, la bise de Louane, l'a cappella avec Maître Gims. Je crois bien qu'elle lui a passé la bande-son de mon petit concert privé une dizaine de fois. Je ne chantais pas si mal, après tout. Peut-être t'es-tu trompée de carrière ? a lancé Charlotte qui nous avait rejointes dans la chambre.

Cette boutade en apparence anodine m'a bouleversée. Non, je n'avais aucune envie de devenir chanteuse, mais oui je m'étais trompée de carrière. Ou plutôt, je m'étais trompée de vie.

Je n'avais plus aucune envie de continuer ma carrière d'avant. Je n'avais plus aucune envie de continuer ma vie d'avant. En réalisant les rêves de mon fils en accéléré, j'avais dynamité mon rapport aux autres, la conception même de mon futur.

De ma vie d'avant, je ne voulais plus garder que les fondations. Ces piliers qui tenaient toujours, bon an mal an, mon grêle édifice. Ma mère. L'éducation qu'elle m'a donnée. Ma culture. Mes valeurs. Mes souvenirs.

Et bien plus que tout, mon fils.

Extrait du carnet des merveilles

Dépasser les limites !!!! (la suite ☺)

— Rencontrer Maître Gims ou Black M... mais surtout faire un duo avec !!!! (sinon c'est pas dépassé, hein, c'est trop facile !)

Jour 3
ÇA FAIT MAL ET ÇA FAIT RIEN

Aujourd'hui, maman avait une voix bizarre, triste et joyeuse à la fois. C'est sa voix depuis plusieurs jours. On dirait qu'elle a changé de voix, maman. Avant, sa voix était juste triste (sauf quand elle me racontait les aventures de mon cahier, là elle était ptdr – pétée de rire, pour les plus de quarante ans).

Depuis qu'il n'y a plus que les oreilles qui marchent chez moi, je suis sensible aux détails, aux changements dans les intonations. Je n'avais jamais réalisé tout ce qu'on pouvait comprendre rien qu'en écoutant. À la télé, ils passent des émissions où ils font semblant de juger des chanteurs seulement selon leur voix, sauf que tout le monde sait que c'est bidon parce que avant d'arriver sur scène, les candidats sont présélectionnés par des gens qui les ont vus. Résultat : pas beaucoup de moches, juste quelques-uns pour faire plus vrai, mais qui se font virer dans les étapes suivantes vu qu'ils sont moches. Le moche perd toujours à un moment donné, c'est la règle. Moi si je faisais partie du jury, je ferais gagner les moches, parce que j'ai compris à quel point c'est important d'écouter vraiment le son des gens sans être pollué par l'image. Si on écoute attentivement quelqu'un, si on se concentre bien, c'est comme si on le voyait. Non c'est encore mieux : on entend ce que la personne dit, et aussi ce qu'elle ne dit pas. Moi, j'écoute les silences, les hésitations, les mots choisis, ceux qui se sont échappés et qu'on aurait voulu retenir, la mélodie, l'humeur, les respirations. Je ne fais que ça. Je décode, je comprends les voix.

Dans la voix de maman, il y avait des trucs à comprendre ces derniers temps. Trois, pour être précis. Trois trucs que maman ne m'a pas dits mais que j'ai quand même compris.

La première chose, c'est que maman en pince pour Edgar. J'en suis sûr. Ça aussi, c'est nouveau. Jamais de ma vie je n'ai entendu maman parler de quelqu'un avec autant d'adjectifs positifs. Je dois dire que je suis méga jaloux. Elle me parle tout le temps de ce qu'elle a fait avec Edgar ou − pire encore, jalousie puissance mille − avec Isa. Depuis plusieurs jours, elle les a tous les deux inclus dans les étapes de mon carnet des merveilles. Au début, ça m'a rendu malade. J'avais l'impression qu'Edgar et Isa prenaient ma place dans le cœur de maman. Maintenant, je suis toujours jaloux, j'y peux rien. Mais j'aime bien Edgar et j'adore Isa, alors je me dis que quitte à être remplacé, autant que ce soit par les meilleurs joueurs du championnat. Donc, j'écoute maman me raconter mes rêves, vivre ma vie à ma place avec ses nouveaux amis. Ça fait mal de ne pas être de la partie, mais sur le coup qu'est-ce que ça fait du bien ! Maman s'est marrée à tourner les pages et à faire ce qui est écrit dans mon carnet. Elle arrive toujours à me faire exploser de rire, à me remonter le moral quand elle me raconte ses aventures. Je suis sûr que c'est bon pour moi, de me remuer en toute immobilité.

Elle m'a encore impressionné à plusieurs reprises.

Quand elle a couru son semi-marathon peinturluré à Budapest et qu'elle a réussi à aller au bout, elle m'a scotché. Maman m'avait dit qu'elle n'était pas sûre de pouvoir courir une telle distance, et que c'était bien qu'Edgar l'accompagne pour l'aider, la coacher, la soutenir, la ramener si elle faisait un malaise. Je m'étais dit qu'elle aurait très bien pu choisir quelqu'un d'autre, et c'est en entendant les petits rires de Charlotte et de mamie la veille du départ de maman et Edgar en Hongrie, que j'ai compris qu'il se passait quelque chose. Ça m'a fait très mal. Ça m'a donné l'impression que maman avait décidé que la vie continuait pour elle, sans moi. Parce qu'à Budapest, je crois qu'au final maman s'est bien amusée. Et Edgar l'a portée, protégée, c'est ce qu'elle a dit avec un truc dans la voix qui ressemblait à de l'admiration un peu niaise. Oui je suis jaloux, je vous l'ai dit.

Tout à l'heure, maman est entrée dans ma chambre avec Isa. Sur le coup ça m'a fait plaisir qu'Isa vienne me voir, même si je me suis dit que me voir comme ça, ça devait être un sacré tue-l'amour. Hier, maman est allée à la soirée des NRJ Music Awards avec Isa. Elle était bien décidée à cocher l'une des cases qui me semblaient les plus difficiles. Et elle y est arrivée. Elle est dingue, ma mère. J'ai ri, j'ai pleuré, j'ai trouvé ça génial qu'elle fasse ce duo avec Maître Gims parce que je sais à quel point maman déteste ce genre de musique, mais encore une fois j'ai failli crever de jalousie qu'Isa ait accompagné maman.

Bien sûr, c'est ce que je veux pour maman, qu'elle continue à vivre, qu'elle se remette à voir des gens, mais en même temps je déteste cette idée parce que ça signifie que je deviens moins important. Que bientôt je ferai partie du paysage, mais que le centre du monde de maman sera ailleurs, avec Edgar, avec Isa, avec mamie, avec Charlotte. Quand maman s'adresse à Charlotte, elle lui dit « tu » maintenant, et on comprend bien qu'il y a une vie qui se passe en dehors de l'hôpital, une vie dans laquelle elles se voient, elles se parlent. J'ai l'impression qu'elles sont devenues copines. C'est bizarre qu'elles soient copines parce que d'après la voix, j'ai vraiment l'impression que Charlotte est super jeune comparée à maman. Tout est bizarre et plus rien n'est bizarre. Quand j'y réfléchis, j'ai l'impression que maman a rajeuni, elle aussi. C'est peut-être ça qui a changé dans sa voix.

Maman a fait presque tout ce que j'avais noté dans mon carnet. Elle a quasiment fini et ça me fait très peur. Qu'est-ce qu'il va se passer ensuite ? J'essaie de ne pas y penser mais en fait j'y pense tout le temps, parce que la deuxième chose que maman n'a pas dite mais que j'ai quand même comprise, c'est qu'elle a de nouveaux projets. Elle veut recommencer sa vie, elle a des idées de nouveau boulot aussi, j'en suis sûr et ça me rend fou parce que je sais que le boulot, avec maman, ça prend de la place. Avec tout ce monde et un nouveau taf, moi je suis où ? Au quatrième étage de l'hôpital Robert Debré. Plus dans sa vie.

Le dernier truc que maman ne dit pas, celui qui me fait le plus mal, c'est que l'espoir que je me réveille est de plus en plus faible. J'ai compris récemment qu'ils lui ont donné une date. Je ne sais pas laquelle, mais je sens que c'est très proche. Ça, je le sens quand elle me dit de me battre encore, que je vais y arriver : elle n'a plus la même force qu'il y a quelques jours, parfois elle a l'air résignée. Dans ces moments-là, j'ai envie de lui hurler que je suis réveillé depuis belle lurette (comme dirait mamie Odette) mais que tout le monde s'en fiche complètement, que ces médecins pourris ne sont même pas capables de s'en rendre compte, malgré leur bac +25 et leur matériel dernier cri. De la merde en barre, voilà ce que c'est que cet hôpital. Pardon pour la vulgarité mais je n'en peux plus, moi non plus. Qu'est-ce qu'elle croit, maman ? Moi aussi, je sens que si mon corps ne commence pas à envoyer des signaux, je vais abandonner bientôt. Si je ne lâche pas, c'est pour elle, justement ! Pour tout ce qu'elle a fait pour moi, pour tout ce qu'elle fait encore, juste pour elle. Parce que moi je commence à me faire une raison. J'ai compris que je suis un objet immobile, encombrant, qui ne sert à rien, même pas à la déco – tu parles d'une déco ! Je sais que je suis planté de tuyaux dans tout le corps, qu'on me fourre de la bouillie prémâchée directement dans l'estomac, qu'on me met des couches comme aux nourrissons ou aux vieux. Je m'imagine, je me vois et je me dégoûte. Je dois être terriblement moche, et sans la voix pour épater le jury : allez oust, éliminé, du balai, candidat suivant. Maman me dit que je suis beau. Je ne la crois pas, mais ça me fait quand même plaisir. Mamie me dit que je suis sa merveille, que ma chambre est prête à la maison, qu'il y a plein de cadeaux qui n'attendent que moi.

Moi, j'ai commencé à me dire que je vais sûrement mourir. La première fois que j'y ai pensé, ça a été super super super dur. J'ai pleuré à l'intérieur, beaucoup, long-temps. Impossible de savoir combien de temps, mais long-temps. Depuis, j'y pense tous les jours, alors je commence à me faire à l'idée. Ce serait peut-être pas si mal pour maman et mamie, au fond. Elles viennent tous les jours me voir à l'hosto, c'est pas une vie. Alors je me dis que si j'étais mort, eh bien ça leur ferait de la peine sur le coup, mais ensuite ça passerait et ça irait mieux. Ça passe toujours. Il était mignon ce petit Louis, mais là il valait mieux en finir, parce que le voir comme ça, ça détruisait sa famille à petit feu. Et moi je ne veux pas détruire maman. Je ne veux pas détruire mamie. Elles ne le méritent pas. Ce serait mieux pour elles que je lâche, c'est ce que je me répète tous les jours.

Et puis je n'y arrive pas. Je sais pas pourquoi, mais je n'arrive pas à accepter que ce soit fini, il y a toujours au fond de moi quelque chose qui me fait dire que je peux encore me réveiller. En fait c'est pas quelque chose qui me fait dire ça, c'est quelqu'un. Maman. J'ai envie de la revoir. De la serrer dans mes bras. Même si c'était juste une fois, ça vaudrait le coup de s'être battu. Je voudrais lui dire merci. Lui dire que je l'aime. Lui dire que c'est la meilleure mère du monde. Juste une fois. Bon si c'est plus d'une fois ça ira aussi, hein… Ensuite je pourrai mourir, si c'est ce qui est prévu. Je sais je dis tout et son contraire, mais comprenez-moi, mettez-vous à ma place. Vous feriez quoi, vous ? Abandonner ou continuer ? Je ne fais qu'écouter. Pas le choix, y a que ça de disponible en magasin.

Quand j'écoute maman, même avec sa nouvelle voix, elle a l'air d'avoir toujours envie que je me réveille. Alors il faut que j'essaie encore.

20
Jour 3
SON HÉRITAGE

J'ai demandé à voir le docteur Beaugrand, en fin de journée. Il avait la mine sévère, la mèche fatiguée, le regard dans le loin. Un instant j'ai pensé qu'il essayait de me fuir, mais j'étais là et j'attendais des nouvelles.

Depuis quelques jours je ressentais qu'il se passait quelque chose en Louis. Les électroencéphalogrammes étaient toujours aussi délirants pourtant, mais je voyais des signes que les autres n'avaient pas l'air de voir. Ou en tout cas n'interprétaient pas de la même façon. Cela faisait déjà plusieurs semaines que Louis était régulièrement secoué de légers spasmes, de mouvements. Des réflexes, rien de conscient, rien de coordonné, rien de logique. J'étais d'accord avec le diagnostic, comment ne pas l'être ? J'ai tant voulu donner un sens à ces crispations passagères d'une main, d'une joue, d'un pied, à ces légers râles. Mais ils survenaient à

221

n'importe quel moment, parfois même pendant que son cerveau était analysé... et les analyses montraient toujours la même anarchie. L'anarchie théorique était toujours là, et pourtant depuis quelques jours j'avais observé des changements. Réels. L'intensité des crispations n'était pas la même selon les moments, j'en étais certaine. Et surtout – surtout – j'avais remarqué que les mouvements étaient plus nombreux et plus longs lorsque je lui parlais. Comme s'il essayait de communiquer. Personne dans ce foutu hôpital ne m'écoutait. Ou plutôt tout le monde m'écoutait, tout le monde connaissait la situation. Le compte à rebours. L'espoir qui retourne les méninges, qui fait imaginer un réveil qui n'existe pas. Alors, lorsque je parlais de Louis, les regards changeaient, je lisais dans les yeux de mes interlocuteurs cette pitié, ces arrière-pensées : elle est en train de perdre la tête en plus de perdre son fils, on ne peut pas lui en vouloir... c'est bientôt fini de toute façon.

Mais moi j'étais sûre de ce que je voyais, de ce que je ressentais. L'instinct maternel. Je n'avais jamais vraiment compris ce que ces mots signifiaient. Désormais ils me chavirent de justesse et de réalité. L'instinct maternel, c'est voir ce que les autres ne peuvent pas voir, c'est ressentir au plus profond de soi la variation de l'autre. Je ressentais Louis. Je ressentais Louis et Louis me parlait.

C'était pour cela que je voulais voir le docteur Beaugrand. Je me disais que lui m'écouterait, qu'il tenterait quelque chose. Il m'a écoutée. Attentivement. Le visage impassible. Le regard droit des navigateurs, de ceux qui savent et ont le devoir de ramener les égarés vers le rivage. Charlotte était avec moi. Elle est intervenue en ma faveur, arguant qu'il n'y avait que moi qui passais autant de temps auprès de Louis. Que statistiquement, s'il se passait quelque chose, c'était moi qui aurais le plus de chances de le savoir. Qu'il fallait prendre en compte ma parole, mes observations.

Alexandre Beaugrand m'a dit que je devais me préparer au pire. Que l'inquiétude grandissait, car la situation était désespérément stable. Que les faits médicaux étaient là, implacables. Pour montrer sa bonne volonté et parce qu'il était sensible aux arguments de Charlotte, il voulait bien augmenter la fréquence des électroencéphalogrammes dans les jours qui restaient, mais il ne partageait pas mes constatations, mon enthousiasme. *Dans les jours qui restaient.* Alexandre Beaugrand venait de me porter un putain de coup de poignard. J'en ai conclu qu'il n'était pas encore père – Charlotte me l'a confirmé. Comment gérera-t-il ces situations lorsqu'il pourra mettre des sensations vécues personnellement sur le malheur des autres ? Comment réagira-t-il lorsque le visage de son propre enfant se superposera à celui, livide, d'un gosse en phase terminale ?

Charlotte m'a ramenée chez moi. Je n'avais envie de voir ni Edgar ni Isadora.

Je sais qu'il y aura quelque chose avec Edgar, un jour. Comme une évidence logée dans les profondeurs de mon abdomen. Les instants passés ensemble m'ont confortée dans ce sentiment. Mais aujourd'hui, mon cœur n'est ouvert à personne d'autre qu'à mon fils. Il lui faudra être patient. Il m'a assuré qu'il le serait. J'ai envie de le croire. Je ne veux en tout cas pas me poser ce genre de questions, pas maintenant. Alors je laisse faire, je laisse aller. Au retour de notre séjour à Budapest, dans le taxi qui nous conduisait à l'aéroport, nous avons échangé un baiser. Un frôlement plutôt. Chaste, pur. Qu'il en soit ainsi pour le moment, je ne peux rien te donner d'autre, lui ai-je dit dans un souffle. Je n'attends rien d'autre, a-t-il répondu en me prenant la main. Nous avons tout le temps. Occupe-toi de Louis, fais ce que tu dois faire. Ne regrette rien.

Nous étions à trois jours de la sentence, j'avais besoin d'avoir ma mère à mes côtés. De la serrer dans mes bras. Fort. Ma mère et moi n'avons jamais été très portées sur les effusions, mais je crois bien que depuis quelques semaines nous avons rattrapé une bonne dizaine d'années. Je ne parviens plus à dormir sans elle. Me retrouver seule dans ma chambre me terrifie, j'ai besoin de sentir son corps chaud près de moi, et je sens qu'elle en a besoin aussi. Ma mère me répète tous les jours ce qu'elle ne m'offrait que trop rarement étant enfant : elle m'aime. Je crois qu'avec toute cette histoire ma mère et moi sommes en train de vivre une totale révolution intérieure. Pourquoi a-t-il fallu attendre un drame pareil pour nous rendre compte de l'importance que nous revêtons l'une pour l'autre ? Pourquoi gâche-t-on toutes ces années à se détester à grand renfort de non-dits, quand au fond rien n'est brisé ? Tellement de temps perdu, d'occasions manquées, de gâchis émotionnel.

J'avais besoin de ma mère pour affronter l'épreuve que Louis m'imposait le lendemain. J'avais tourné la page du carnet des merveilles. C'était l'avant-dernière. Ensuite, il y en aurait encore une, et puis ce serait la fin. J'ai essuyé les larmes qui perlaient au coin de mes yeux.

Il n'y avait qu'une ligne. Je l'avais redoutée, cette ligne. Je me demandais à quel moment elle allait apparaître, mais je savais qu'elle serait présente. Douloureusement logique.

— *Savoir qui est mon père. Le voir, juste une fois.*

J'ai vécu une histoire de près de deux ans avec le père de Louis. Notre histoire a été banale, je m'en rends compte avec le recul. Sur le moment j'avais l'impression de vivre un conte de fées. Un rêve éveillé. La chute a été d'autant plus rude.

J'ai rencontré Matthew au mois de mai, il y a quinze ans. J'étais attablée à une terrasse de café, place de la République. Il faisait très chaud, les Parisiennes avaient enfin troqué leurs pulls de laine contre le combo gagnant lunettes de soleil-top à fines bretelles, et les touristes arboraient leurs plus belles auréoles de sueur. Matthew s'était installé à la table d'à côté, un guide *Lonely Planet* de Paris dans la main, une bière dans l'autre. Aucune auréole, c'était un bon point. Je l'ai tout de suite remarqué. Matthew irradiait, il en avait toujours été ainsi, il en serait probablement toujours ainsi. Grand. Les tempes grisonnantes. Athlétique. Un petit air de George Clooney époque *Ocean's Eleven*. Des lunettes de soleil de marque, une chemise blanche à manches longues retroussées – très important les manches longues pour une chemise, pour moi un marqueur de bon goût. Des gestes lents même pour saisir sa bière, des mains délicates, pas le genre à aller au charbon. Un intellectuel. La quarantaine flamboyante. J'en avais tout juste vingt-quatre. Il aurait pu être mon père. C'était probablement l'un de ses atouts majeurs, pour moi qui avais toujours vécu sans. Je ne m'étais avoué cet Œdipe à peine dissimulé qu'a posteriori. Sur le moment c'était, je le crois, inconscient.

Je lisais un livre de gestion des plus ennuyeux, et mon regard était irrésistiblement attiré par la table voisine. Au bout de quelques instants, j'ai compris qu'il avait compris. Il m'a souri, j'ai remarqué la fossette qui se creusait sur sa joue droite. Louis a la même aujourd'hui, craquante à souhait. Il m'a demandé si je pouvais l'aider, il était seul dans Paris, cherchait des conseils pour dîner le soir même. Il vivait à Londres, était de passage pour son travail. Deux semaines complètes. Alors plutôt que de faire les allers-retours, il avait préféré passer le week-end en France. Il ne regrettait pas d'être resté. J'ai ri, il a précisé avec un éclat de malice dans l'œil qu'il parlait du temps superbe comparé à la pluie londonienne, bien entendu. Bien entendu.

Matthew tenait une galerie d'art à Notting Hill. Il parlait français avec un accent délicieux, et une pointe d'humour décapant. So british. Comment un homme pareil était-il encore célibataire ? Il n'avait pas trouvé sa princesse, voilà tout. Mais il ne perdait pas espoir. Paris était bien la capitale de l'amour, non ? Matthew voulait monter sur la tour Eiffel, de nuit. Observer la ville à ses pieds. Je l'ai prévenu qu'il y aurait un monde fou, que le lieu ne serait pas accessible avant de longues heures. Il était mieux renseigné que moi. Matthew est parvenu à dégotter au pied levé une table au restaurant gastronomique situé sur le monument emblème de Paris, ce qui nous a permis de doubler la foule des badauds. Un passe-droit extrêmement cher, mais tellement romantique.

Je suis tombée amoureuse de Matthew dès la première soirée. Je venais de commencer à travailler chez Hégémonie. Mon premier job. Je me donnais corps et âme à mon employeur, sans savoir que quinze années plus tard, ce serait toujours la même chose. Nous avons vécu une relation à distance des plus torrides. Vingt-trois mois très exactement. Nous nous retrouvions tous les quinze jours. Deux week-ends complets dans le mois, l'un à Paris, l'autre à Londres en règle générale. Matthew venait en réalité très régulièrement à Paris, qu'il connaissait comme sa poche. J'ai compris bien plus tard que le *Lonely Planet* sur sa table était un redoutable piège à Parisiennes. Que je n'étais pas la première à tomber dans ses filets.

À Paris il venait chez moi, mais parfois il préférait louer une chambre dans un hôtel de luxe, et nous passions le week-end entier au lit, à la piscine privée ou au restaurant. Lorsqu'il était à Paris avec moi, il était avec moi. Question de principe, *beautiful*. Matthew m'appelait *beautiful*. Je ne me suis jamais sentie aussi belle que dans ses bras. Rien n'était trop beau pour sa princesse. J'étais son enfant gâtée. Nous menions une vie en huis clos aveuglante de bonheur.

À Londres, j'aurais voulu rencontrer ses amis. Il me disait que je lui suffisais, qu'il n'en aurait jamais assez de moi, il me voulait toute à lui, rien qu'à lui. Il me donnait rendez-vous le vendredi soir à la galerie, lorsqu'il n'y avait plus personne. L'amour avec

Matthew était impatient, brusque, parfois directement sur le sol entre les œuvres d'art, mon sac de voyage jeté à terre. L'amour avec Matthew était passionné, sans demi-mesure, fait de morsures, de cris de plaisir et de post-coïtum festifs. L'amour avec Matthew me grisait, j'ai pris goût à la coupe de champagne que nous buvions nus après l'orgasme, savourant le séisme au beau milieu de décombres contemporains hors de prix. Je n'avais jamais ressenti cela pour personne. Il n'avait jamais ressenti cela pour personne. Il faisait tout pour préserver l'extraordinaire. Parfois nous allions dans ce qu'il appelait son petit chez-lui, un minuscule appartement de Notting Hill sans grand intérêt, à deux pas de la galerie. Mais à Londres comme à Paris, Matthew aimait m'emmener dans d'incroyables hôtels, véritables écrins pour notre amour – c'était l'expression exacte qu'il employait. Mieux encore, j'avais parfois la surprise de trouver dans ma boîte aux lettres une invitation manuscrite en bonne et due forme, accompagnée de billets d'avion pour Barcelone, Dublin, Venise, Lisbonne. Le charme désuet du romantisme pur, simple, touchant. De l'homme accompli – pour ne pas dire riche – qui couvre son âme sœur d'attentions. Je lui disais régulièrement que c'était de la folie. Il me répondait invariablement que l'argent était fait pour rendre heureux les gens que l'on aimait, sinon à quoi cela servirait-il ?

Je voulais croire que la vie avec Matthew, c'était ça.

En réalité, c'était tout sauf la vie.

Au vingt-troisième mois de notre relation, je suis tombée enceinte. Ce n'était pas prévu. J'étais allée voir mon médecin généraliste en lui décrivant ce qui n'allait pas. Je me sentais fatiguée tout le temps, je vomissais parfois, j'avais des baisses d'énergie en plein milieu de la journée. Est-ce que j'avais mes règles ? Mes règles étaient irrégulières, je ne les avais pas eues depuis quelque temps en effet, mais rien d'alarmant, je ne voyais pas le rapport. L'idée ne m'avait même pas traversé l'esprit. Lorsque le test de grossesse a affiché deux bandes bleues, je me suis mise à pleurer à chaudes larmes. Je ne voulais pas de cet enfant, pas maintenant, pas comme ça. Mon plan de vie était tracé, l'enfant était prévu autour de la trentaine, pas avant. Avant il était trop tôt. Ma carrière chez Hégémonie était la priorité, et nous avions encore tant de choses à vivre avec Matthew. Matthew ne voulait pas d'enfant, il avait été très clair avec ça. Je m'étais toujours dit que je parviendrais à le convaincre en temps voulu. Certainement pas maintenant.

Mais petit à petit le minuscule oiseau qui déployait ses ailes au creux de mes entrailles a commencé à se faire une place. D'abord discrète. Puis de plus en plus présente. Je me surprenais en pleine réunion à imaginer l'enfant qui pourrait naître. Je n'ai rien dit à Matthew, et je ne l'ai pas vu durant un long mois. Je voulais prendre ma décision seule, et je voulais aussi éviter qu'il ne découvre le pot aux roses. Cinq semaines plus tard, mon choix était fait. Viscéral. J'allais garder l'enfant. Ce serait une fille. Je l'appellerais Louise. Matthew nous aimerait à la folie. Je déménagerais à Londres. Nous serions heureux.

J'ai préparé un rébus lisible en deux langues, pour annoncer la bonne nouvelle à Matthew. Ça le déstabiliserait bien entendu, mais j'étais sûre qu'il serait fou de joie, une fois le choc passé. J'ai pris l'Eurostar et me suis rendue directement à la galerie, en pleine journée, un jeudi. C'était la première fois que je rejoignais Matthew sans l'avoir prévenu. Lui qui aimait tellement me surprendre, pour une fois il serait servi !

Matthew n'était pas à la galerie. Une femme d'une quarantaine d'années m'a ouvert. Élégante, soignée, habillée en tailleur Chanel. Froide. Sourire commercial, me toisant de la tête aux pieds avec un petit air de mépris pour mes vêtements H&M et mes escarpins Bata. J'ai demandé à voir Matthew, il n'était pas là. Qui le demandait ? Thelma, une amie.

— I see… avait répondu mon interlocutrice.

Que voyait-elle exactement ?

— Matthew a de nombreuses amies, vous savez, c'est un homme très pris…

Je n'aimais pas du tout les insinuations de cette femme sur Matthew, et par ailleurs qui était-elle ? À ma connaissance il avait toujours tenu cette galerie d'art tout seul, comme un grand gaillard qu'il était.

Elle m'a tendu la main et s'est présentée, dans un anglais aussi impeccable que condescendant.

— Enchantée, Thelma. Je suis Deborah, je rends service à mon mari en tenant la galerie lorsqu'il est en déplacement. Matthew est souvent en voyage. Il aime beaucoup Paris. Et les Parisiennes. Je ne suis pas jalouse, je vous rassure. Le contrat que nous avons passé il y a de nombreuses années m'autorise moi aussi à vivre ma vie comme je l'entends. En revanche, il m'avait habituée à mieux. Vous n'êtes vraiment pas terrible. Bonne journée, mademoiselle.

Je n'ai jamais revu Matthew. Je ne l'ai jamais recontacté.

Il n'a jamais su que j'étais enceinte. N'a jamais vu Louis.

Il a essayé de m'appeler à plusieurs reprises dans les semaines ayant suivi ma rencontre avec sa femme. Je n'ai pas donné suite. Il a insisté. Un jour j'ai envoyé un SMS : « Deborah est très belle. Tu es un immense connard. N'essaye plus de me contacter. »

J'étais enceinte de trois mois.

Plus de treize années plus tard, j'ai allumé mon ordinateur et pianoté son nom dans le moteur de recherche. Je ne l'avais jamais fait, malgré tous les outils à ma disposition depuis que le dieu Google crachait ses informations au premier venu. Je me l'étais interdit. Le livre devait rester clos. Le résultat de mes recherches ne s'est pas fait attendre. Matthew tenait toujours la même galerie, à la même adresse. Quel âge avait-il maintenant ? Cinquante-sept, cinquante-huit ans. J'ai cliqué sur l'onglet « images » et j'ai sursauté. Louis était le portrait de Matthew, la ressemblance était saisissante. Devant mes yeux écarquillés, des photos de vernissages plus ou moins récents. Matthew, une coupe de champagne à la main, grand sourire. Matthew, bras croisés, costume cintré et cheveux poivre et sel, posant devant les œuvres d'un obscur artiste new-yorkais. Matthew, toujours aussi beau. Combien d'autres Thelma étaient tombées dans le piège ? J'ai fait défiler ma souris. Puis je l'ai vue. Sûre d'elle, de son pouvoir. Malgré tout ce que Matthew avait pu faire dans sa vie, elle était toujours là. Deborah souriait, le bras de Matthew passé autour de sa taille.

J'ai eu soudain envie de vomir.

J'étais enceinte de treize ans. J'allais devoir affronter mes nausées.

80, Portobello Road. J'aurais pu y aller les yeux fermés.

21

Jour 2

RAPPELS

J'ai pris l'un des premiers Eurostar du matin. La gare du Nord était pleine à craquer. Je me suis retrouvée avec un groupe de collégiens en partance pour la perfide Albion. Probablement de l'âge de Louis. J'ai d'abord eu le réflexe de survie de la bourgeoise coincée : je me suis dirigée vers le contrôleur, bien décidée à tenter de changer de wagon. Et puis je me suis ravisée. Je me suis assise à ma place. J'étais dans un « carré » avec trois gosses de cinquième. La 5ᵉ D du collège Anatole France de La Roche-sur-Yon. J'ai discuté foot et cartes Pokémon, ils ont été abasourdis que je puisse tenir une telle conversation. Je leur ai montré la vidéo de mon impro avec Maître Gims et j'ai gagné leur respect éternel. Ils m'ont demandé un autographe. J'avais touché l'étoile, ma signature acquérait par ricochet une valeur inestimable. Je n'ai pas vu le temps passer. J'ai oublié mon nombril et ça m'a fait du bien.

Une fois parvenue à la gare de Saint-Pancras, j'ai pris un taxi pour Notting Hill. Je n'ai pas donné l'adresse exacte. J'avais besoin de quelques minutes de marche, d'un sas de décompression. Je ne voulais pas débarquer devant la galerie de Matthew, je voulais observer de l'extérieur avant d'entrer. Je n'aurais pas pu supporter une nouvelle attaque de Deborah. La dernière datait d'il y a treize ans, mais sa douleur était encore vive.

Je me suis postée sur le trottoir d'en face. J'avais mis des lunettes de soleil, et pris soin d'arborer une coiffure, une allure, des vêtements radicalement différents de ceux que Matthew connaissait. Je voulais pouvoir choisir d'y aller ou pas, jusqu'au dernier instant. Je ne voulais pas courir le risque qu'il prenne les devants, qu'il me voie avant que je ne le décide.

Il était là. Seul. Penché sur son smartphone. Je l'ai trouvé vieux. Il avait encore vieilli, comparé aux photos découvertes la veille sur Google. J'ai inspiré, expiré. Trois fois. Puis encore trois fois. J'ai poussé la porte, une petite sonnette hors d'âge a tinté. Matthew a levé les yeux vers moi. Il a changé de couleur. Il m'a reconnue tout de suite. A murmuré mon prénom, et simplement... qu'est-ce que tu fais là ? Puis il a souri. J'ai été projetée quinze ans en arrière. Non, il n'était pas si vieux. Il était encore très séduisant. J'ai baissé les yeux, et me suis demandé un instant si Louis avait été conçu sur ce sol froid. Une vague de souvenirs est montée en moi. Âpres. Beaux. Terriblement présents.

Mon portable a vibré. Je l'ai laissé vibrer. Pas maintenant. Je suis occupée. Je dois annoncer au père de mon enfant qu'il a un fils de presque treize ans. Un magnifique adolescent qui lui ressemble comme deux gouttes d'eau. Dans le coma. À moins de deux jours d'une sentence potentiellement dramatique.

J'ai hésité. Une sueur glacée a envahi mon dos, ma respiration s'est accélérée. J'ai soudain pris conscience de la sadique absurdité de la situation. Quel genre de femme étais-je donc ? Pouvais-je vraiment déverser toute cette histoire sans filtre, aujourd'hui ? Malgré tout le mal que m'avait fait Matthew, pouvais-je lui annoncer coup sur coup ces deux nouvelles, treize longues années après ? Que savais-je de sa vie d'aujourd'hui ? Comment encaisserait-il cela ? Peut-être était-il cardiaque, peut-être allais-je le tuer en lui jetant tout ça à la figure ? Pourrais-je alors encore regarder mon fils en face ?

Je me suis appuyée à la poignée de la porte vitrée. Louis voulait voir son père, juste une fois. Je venais de le voir, juste une fois. Ma mission était accomplie. J'ai eu froid, j'ai eu chaud, j'ai senti mes genoux flancher mais ils sont restés solides. Je n'ai rien dit. J'ai franchi le seuil à reculons. Matthew a avancé de quelques pas. J'ai reculé, encore. Mes pieds ont atteint le trottoir de Portobello Road. J'ai couru. Une légère bruine a fouetté mon visage et les lunettes de soleil que je n'avais pas ôtées. Matthew m'a appelée plusieurs fois dans la rue, il a tenté de me rattraper, mais je savais qu'il ne pourrait pas laisser la galerie sans surveillance, qu'il abandonnerait vite.

Mon portable a vibré, une nouvelle fois. Pas maintenant, je suis occupée à fuir ma vie, une nouvelle fois.

J'ai finalement grimpé dans un bus et me suis laissé porter. Les larmes coulaient sur mes joues, la pluie inondait les vitres de ce bus à impériale étrangement désert.

J'ai laissé mon portable vibrer, vibrer encore.

Plus il vibrait, plus je savais.

Personne n'avait essayé de me contacter avec une telle insistance depuis des lustres. Il n'y avait qu'une possibilité, un seul motif pour lequel quelqu'un s'acharnerait ainsi à tenter de me joindre.

J'ai écouté le dernier message. C'était ma mère. Elle me demandait de ne pas écouter les messages précédents, et de la rejoindre à l'hôpital de toute urgence. Sa voix tremblait. Elle avait pleuré. Les messages précédents. Il y en avait quatre. Trois de ma mère, et un autre émanant d'un numéro que je ne connaissais que trop. Le service de réanimation de Robert-Debré.

J'ai suivi la consigne de ma mère. J'ai éteint mon téléphone, l'ai rangé.

J'ai sorti de mon sac le carnet de Louis. Je l'ai caressé. L'ai serré sur mon cœur défoncé. J'ai tourné les pages une à une, lentement. Jusqu'à la dernière. J'ai lu ce que mon fils me demandait de faire. La pluie a cogné plus fort. Je n'ai pas pu retenir les mots qui se sont formés seuls dans mon esprit. La dernière page. Les dernières volontés.

Je me suis levée. J'ai abandonné mon téléphone à une jeune femme, assise près de moi. Elle m'a remerciée, incrédule.

Puis je suis descendue.

22

Jour 1
L'ESQUIVE

Je n'ai pas rappelé ma mère. Je n'ai pas rappelé l'hôpital.

Tant que la nouvelle n'était pas tombée, effroyablement officielle, Louis était vivant. J'ai décidé de faire ce que je sais faire de mieux : esquiver.

Je me rends compte désormais avec une lucidité tragique à quel point j'ai toujours été la reine de l'esquive. Lorsqu'une situation devient délicate, j'ai naturellement tendance à fuir. C'est ma réaction spontanée. Ma manière de me protéger des bourrasques, des typhons, des cyclones. Plus le vent est fort, plus le repli devient nécessaire. J'ai besoin de me construire un abri temporaire, de laisser passer les rafales, les digérer, me préparer à les affronter. Je n'arrive pas à sortir en mer par gros temps. L'amplitude de la houle doit descendre d'un cran. J'ai toujours eu une peur panique de laisser les autres lire mes sentiments, surtout lorsque je ne les maîtrise plus. Alors j'esquive. J'ai esquivé Matthew il y a treize ans, d'un simple SMS. J'ai esquivé Matthew il y a quelques heures, plutôt que de me laisser submerger. J'ai esquivé ma mère, toutes ces années. J'ai esquivé ma vie, mes propres rêves en vivant ceux de Louis.

À quelques encablures de la fin du compte à rebours, j'ai esquivé la mort de mon fils en inventant un futur.

L'esquive est tellement plus belle que la vérité.

J'ai voulu célébrer ces derniers instants de sublime ignorance, m'offrir une belle et pure nuit d'espoir. Je voulais un lieu neuf et exceptionnel. J'avais lu qu'il y avait un hôtel dans le nouveau gratte-ciel avant-gardiste de Londres, The Shard. Dans ma vie, les grandes étapes ont toujours été marquées par des vues monumentales. La tour Eiffel pour ma rencontre avec Matthew. L'hôtel incroyable de Tokyo, pour commencer le carnet des merveilles de mon fils. Une tour en forme d'épine majestueuse serait parfaite pour le terminer. Je me suis offert une chambre royale. J'ai mis Londres à mes pieds.

J'ai commandé une bouteille de vin français, un vin de Provence. Là où l'histoire de ma famille a commencé. Je me suis installée au bureau de mon invraisemblable suite, et me suis attelée à mon invraisemblable tâche. Les dernières consignes que Louis avait griffonnées dans son carnet des merveilles étaient aussi simples à formuler qu'elles étaient douloureuses et complexes à exécuter. Surtout à ce moment de ma vie. Surtout à ce moment de la sienne. Cela m'a pris la nuit entière.

J'ai esquivé la mort de mon fils en admirant les lumières. J'ai étalé ma vie future sur papier blanc à en-tête d'un hôtel de luxe londonien, et j'ai inclus Louis dedans. Furieusement, éperdument. Une dernière fois.

Je me suis souvenue des belles choses. J'ai inventé les délices à venir. Je me suis élancée sans filet vers l'inconnu, j'ai ri, j'ai pleuré. Je me suis demandé quelle femme je désirais être. Ce que je voulais devenir, moi, Thelma. Quelle trace je voulais laisser sur cette planète. Je me suis écoutée. Je me suis interrogée sur ce qui pouvait me rendre heureuse. Vraiment heureuse. En oubliant tout ce qui avait guidé mes choix jusqu'ici. En oubliant ce que la société pouvait attendre de moi. En oubliant ce que les autres pouvaient attendre de moi. Je l'ai visualisé. Je l'ai écrit. Je me suis mise à nu, seule face à moi-même. Pour la première fois de toute ma vie. Cette nuit-là, j'ai rédigé mon carnet des merveilles. Sous la forme imposée par Louis : celle d'une lettre. Je me suis projetée vers un futur rêvé. Qui n'existerait sans doute jamais. Qui existerait peut-être. Cette nuit-là a été d'une intensité rare.

Au petit matin, j'ai relevé la tête. J'ai rassemblé mes esprits.

J'esquive, mais je reviens toujours. Lorsque j'ai recouvré suffisamment de force et de courage, je me redresse, j'affronte, je mords, je me bats.

J'ai pris une douche, enfilé mes vêtements de la veille, et grimpé dans un taxi pour la gare de Saint-Pancras. Il était temps pour moi de braver la tempête.

Avant d'entrer dans le train, j'ai acheté un appareil photo jetable chez WHSmith – un de ces appareils si fréquents il y a vingt ans, désormais comble du vintage. J'ai sorti de mon portefeuille la photographie que je garde toujours sur moi. Sur ce cliché aux couleurs délavées, Louis a deux ans, il a le visage couvert de chocolat et rit aux éclats. C'est ma photo préférée de mon fils. J'ai tendu l'appareil vers le ciel, j'ai placé la photo de Louis contre ma joue, j'ai souri et j'ai pris un selfie.

Première photo d'une série de trois mille six cent cinquante. Excellente idée pour commencer un dernier jour, mon fils.

Extrait du carnet des merveilles

Dans 10 ans...

— *Écrire une lettre à la personne que je serai dans 10 ans, en imaginant à quoi ressemblera ma vie... à ouvrir et relire dans 10 ans pile poil — pour se marrer !!*

— *Prendre une photo de moi chaque jour, puis faire un film-montage de mon évolution : 10 ans en 1 minute !!*

23

LE JOUR OÙ

Je me suis rendue directement à l'hôpital Robert Debré, sans prévenir personne de mon arrivée. Depuis la gare du Nord, je pouvais y être en une vingtaine de minutes.

Sur le trajet, j'ai serré très fort alternativement l'enveloppe contenant mes écrits de la nuit et le carnet des merveilles de Louis. J'ai eu des bouffées de chaleur. J'étais dans un état de stress impossible à mesurer.

J'étais passée par des phases d'optimisme au cours de cette nuit londonienne. Et si j'avais mal interprété les paroles de ma mère, la tonalité grave et la voix cassée ? Aurait-elle pu pleurer de joie ? Oui bien sûr, elle aurait pu. Mais dans ce cas, pourquoi ne pas juste dire dans son message que Louis s'était réveillé ? Quand on a une bonne nouvelle à annoncer, on ne tergiverse pas. On laisse un message sans équivoque.

Oui mais elle avait laissé trois autres messages auparavant, que je n'avais pas écoutés.

Oui mais l'hôpital avait appelé aussi, et ma mère m'avait ordonné de ne pas écouter les messages.

Oui mais, oui mais… L'espoir. Ce sale espoir. Qui n'abandonne jamais sa proie. J'étais sa victime consentante depuis de longues, de très longues semaines.

J'ai pénétré dans le couloir sombre du quatrième étage de l'hôpital. Les infirmières présentes m'ont saluée, m'ont reconnue. J'ai accéléré le pas. Maintenant que j'étais là je devais voir mon fils sur-le-champ. L'une d'elles m'a rattrapée, s'est postée devant moi et m'a dit simplement :

— Attendez un instant avant d'entrer s'il vous plaît. Avez-vous eu le docteur Beaugrand au téléphone ?

Elle me barrait l'accès à la suite du corridor. Je l'ai observée, interloquée. Je lui ai indiqué que non je n'avais pas parlé au docteur Beaugrand, et que bien entendu j'allais entrer dans la chambre de Louis, tout de suite. Charlotte est arrivée en courant et m'a retenue par le bras.

— Thelma, attends. Je dois te parler avant.

J'ai senti une peur panique m'envahir. Je devais savoir. Maintenant. J'ai dégagé mon bras et j'ai couru vers la chambre de Louis.

J'ai ouvert la porte.

Je me suis ruée vers le lit.

Alors, j'ai vu.

24
SES YEUX

J'ai vu ses yeux.

Ils étaient ouverts.

Je me suis mise à pleurer.

Je me suis jetée sur lui. Je l'ai serré, serré, je l'ai embrassé.

D'abord il n'a pas réagi.

Puis il a levé la main droite vers moi, il a tenté d'articuler quelque chose.

Je me suis mise à rire d'un rire de démente, de ce rire nerveux caractéristique de ceux qui craquent. Ceux dont les nerfs lâchent soudain. Ceux dont les digues cèdent. Mes yeux étaient tellement remplis de larmes que je ne le voyais presque plus. Je crois que le sentiment que j'ai éprouvé à cet instant était aussi fort que lors de sa naissance. Non, plus fort encore. J'étais en train d'assister à une deuxième naissance de mon propre enfant. Il avait les yeux ouverts, il bougeait sa main, son bras, tentait de parler. Il était vivant. Louis était vivant. Il avait réussi. J'avais réussi. Nous avions réussi. Nous allions pouvoir continuer, ensemble. Être heureux, ensemble. Toujours.

C'était le plus beau jour de ma vie, je le crois. Ça peut avoir l'air idiot dit comme ça, mais qu'est-ce que c'était vrai. Qu'est-ce que ce jour était beau. Qu'est-ce qu'il était beau. Qu'est-ce que j'étais fière de Louis. Louis essayait de parler mais je ne comprenais pas. Ça viendrait. Nous avions toute la vie pour ça. Je lui ai parlé, moi aussi. S'il y a bien une leçon que j'ai retenue, c'est qu'il faut exprimer ce que l'on ressent. Toujours.

— Mon amour. Je suis tellement heureuse. Je suis là. Je t'écoute. Je t'aime. Tu es magnifique. Qu'est-ce que tu es beau, mon Louis...

Je me suis écartée légèrement pour l'observer.

J'ai attendu un peu et son visage s'est figé.

Alors, j'ai vu.

Ses yeux.

J'ai reculé d'un pas.

Il y avait de la terreur dans ses yeux.

Mon fils a essayé de parler de nouveau.

Et cette fois-ci j'ai compris. J'ai compris ce qu'il essayait de dire.

J'ai compris le désespoir de son regard noir.

J'ai compris les paroles de Charlotte, son empressement à vouloir me parler *avant* que je pénètre dans cette chambre.

Mon fils, mon amour, mon roi.

Louis venait de prononcer avec une grande difficulté trois petits mots qui m'ont transpercé le cœur :

— Qui... es... tu ?

25

VIVANTS

Je me suis retournée. Maman s'est approchée et m'a prise dans ses bras. Elle pleurait. Elle me répétait en boucle que Louis était vivant.

— Il est vivant. Tu as réussi. C'est grâce à toi s'il est revenu, sois-en certaine. Il se souviendra. Tu ne nous as pas laissés t'expliquer avant, espèce de tête de mule. Les chiens ne font pas des chats... moi aussi j'ai couru dans la chambre hier soir et je me suis pris une volée de bois vert de la part de tout l'hôpital. Il faut y aller doucement, mais il se souviendra.

Je ne comprenais plus rien. Pourquoi m'avait-elle laissé un message me demandant de ne pas écouter les messages précédents ?

— Parce qu'il fallait que tu rappliques mon chaton, ça faisait des plombes que tout le monde essayait de te joindre pour t'annoncer la nouvelle... à un moment donné il faut dire stop, arrêter de finasser et agir. Et puis comment aurais-je pu me douter que tu suivrais un seul de mes conseils, toi qui n'en fais toujours qu'à ta tête ? Je suis désolée j'ai encore merdoyé…

Je l'ai regardée et j'ai souri. Il n'y avait que ma mère pour utiliser le verbe merdoyer dans un tel moment. J'ai levé la tête et j'ai croisé le regard de Charlotte. Je lui ai demandé si ce que ma mère venait de me dire était vrai, est-ce que Louis allait se souvenir ?

— La confiance règne à ce que je vois… a rétorqué maman, ce qui a eu pour effet de nous faire marrer pour de bon.

Ma mère a toujours su dédramatiser les situations les plus graves, c'est un véritable don chez elle. J'aimerais tant avoir le même.

Charlotte a parlé doucement. Elle m'a prise dans ses bras, elle aussi. Elle sentait bon. J'ai posé la question qui me brûlait les lèvres : est-ce que Louis se souviendrait… de moi ?

Elle m'a répondu qu'il fallait que je voie le docteur Beaugrand, qu'il allait tout m'expliquer. Qu'il était impossible de savoir si Louis se souviendrait, et si oui de quoi, de qui. L'évolution après un coma peut être très différente d'une personne à l'autre. Ce que nous étions en train de vivre tenait de l'exceptionnel. Avant d'ouvrir les yeux, Louis n'avait donné aucun signe clinique tangible de réveil. Cela avait été soudain. Et déjà après quelques heures, ses progrès étaient fulgurants. Cela prendrait du temps avant de savoir très exactement quelles fonctions de son organisme retrouveraient leur état originel. La médecine avait ses limites, et les prédictions étaient très difficiles à établir. Mais il fallait garder espoir. Ma mère avait raison d'être optimiste. Il était clair que son cerveau fonctionnait. Qu'il essayait de parler. Qu'il remuait ses membres. C'étaient des pas de géant.

Charlotte m'a aussi affirmé que je pouvais être fière de ce que j'avais fait pour lui. D'ailleurs un certain nombre de parents d'enfants hospitalisés ici avaient commencé à m'imiter. Je lui ai dit qu'il ne fallait pas charrier, mais elle était sérieuse. Même sans carnet des merveilles, certains parents avaient entrepris de demander à leurs enfants quels étaient leurs rêves les plus forts, et de les réaliser. Les enfants avaient souvent des rêves accessibles, pas si complexes à exaucer. La joie que ces nouvelles questions et réalisations suscitaient était en train de contaminer tout l'hôpital. Bien sûr toutes ces aventures n'auraient peut-être pas une fin heureuse, mais elles constituaient un sacré booster de moral. Elles injectaient des doses de bonheur, d'espoir, de vie dans des existences consacrées à se battre contre ces saloperies de maladies.

— Tu leur as fait un bien fou, Thelma, a continué Charlotte. Tu es un exemple pour eux.

— Moi ? Un exemple ? Ce serait bien la première fois…

— Ne te dévalorise pas ma fille, est intervenue ma mère. Vois les choses en positif, nom d'une pipe ! Tu as fait quelque chose d'exceptionnel pour ton petit, tu es une inspiration pour d'autres parents, accepte-le sans te prendre le chou. Apprécie, goûte cette immense étape que tu viens de faire franchir à Louis. Je sais, avant tu ne savais pas faire. Prendre le temps. Savourer. Mais ça, c'était avant. Il est vivant, punaise ! Vivant. Nous sommes tous vivants. Et nous sommes ensemble.

Ma mère avait raison. Comme toujours. Ses mots entraient en résonance avec d'autres. Ceux que j'avais couchés sur papier la nuit précédente.

Elle avait visé dans le mille.

J'ai continué mon tour d'horizon de cette chambre des merveilles que je n'oublierais jamais. Cette chambre accélératrice de sentiments. Cette chambre qui m'avait tour à tour cassée, bouleversée, secouée, exaltée, réconciliée, transcendée, changée. Cette chambre dont le moindre centimètre carré resterait imprimé sur ma rétine.

Mes yeux ont parcouru les murs, se sont posés sur une photo de moi en short et crampons, entourée d'Isa et d'Edgar. Je savais qu'ils ne devaient pas être loin, qu'ils seraient là bientôt. Toute cette bienveillance autour de moi, ces personnes pour lesquelles j'étais importante, c'était nouveau. J'avais réappris au cours de cette histoire la puissance de l'entourage, de ceux que l'on appelle les proches et dont on s'éloigne trop souvent, trop vite. Sentiraient-ils eux aussi ce que je ressentais à cet instant précis ? Cet étrange, ce minuscule bonheur qui pointait le bout de son nez au beau milieu de cette chambre impersonnelle et froide ?

Je me suis remise à pleurer.

De joie, de vertige face à cet inconnu qui s'ouvrait à moi. De joie surtout. Louis était vivant. Il l'était.

Je me suis approchée de lui. Je lui ai caressé la joue, lui ai murmuré de ne pas avoir peur. Que j'étais sa maman. Que je le serais toujours, quoi qu'il arrive. Que je l'aimais. Que nous l'aimions. Qu'il était normal de ne pas se souvenir aujourd'hui. Que je ne lui en voulais pas. Que je ne lui en voudrais jamais. Que j'étais si heureuse.

Que demain serait une autre aventure. Que chaque jour apporterait son lot de surprises, de découvertes. Que ce serait pour nous tous une nouvelle chance, un nouveau départ, la possibilité de se réinventer, de construire quelque chose de plus solide encore.

Qu'il fallait qu'il continue de se battre. Que le chemin serait long, mais qu'il pourrait s'appuyer sur moi. S'appuyer sur nous tous. Que je serais là pour le soutenir nuit et jour. Contre vents et marées.

Qu'il y aurait des rires. De l'amour. Des pleurs. Des cris. Du foot. Du karaoké. De folles soirées, des semi-marathons et des courses-poursuites.

De la joie, encore. Du bonheur, toujours.

Qu'il se souviendrait.

Que s'il ne se souvenait pas du passé, eh bien nous inventerions de nouveaux souvenirs, voilà tout.

J'ai cru entendre ma mère.

J'avais entendu une mère. C'était moi.

— Je t'aime, Louis.

Il m'a regardée.

Je crois qu'il m'a souri.

Thelma
NE PAS OUVRIR
avant le 17 février 2027

Chère Thelma,

À l'heure où tu lis cette lettre, tu as dix ans de plus qu'aujourd'hui. Tu approches de la cinquantaine. Tu es toujours vivante, malgré tous tes excès, toutes mes félicitations, ça n'était pas gagné d'avance...

Il fait beau ce matin. Un ciel d'hiver comme tu les aimes. L'hiver 2017 n'est plus qu'un songe. Lorsque vous parlez de cette période difficile, Louis et toi parvenez même à en rire. Vous n'avez pas oublié, bien sûr. Les souvenirs sont intacts. Vifs. Le temps les a polis, vos esprits ont effacé progressivement la douleur, les contours sont moins acérés, la beauté a pris la place. Louis regarde souvent les films que tu as tournés avec ta mère à l'époque. Il se marre toujours autant en vous voyant chanter du Johnny

259

Hallyday à Tokyo. Et surtout — surtout — à ces images s'en mêlent désormais d'autres : celles que vous avez prises ensuite. Lorsque vous avez vécu de nouveau les aventures jubilatoires du carnet de Louis, ensemble. Qu'est-ce que c'était fort.

Il fait beau ce matin. Tu viens de te lever et tu observes les arbres à travers la fenêtre. Car il y a des arbres, là où tu vis, en Provence. Ils sont un peu dégarnis mais le printemps approche à grands pas, et puis ici il ne fait jamais vraiment froid. Le jardin de la propriété est immense, Edgar et toi n'avez pas encore pu tailler toutes les branches. Vous avez le temps. Vous avez tout le temps. Edgar est déjà debout, tu l'aperçois au loin. Edgar aime se lever très tôt, bien plus tôt que toi. C'est le moment de la journée qu'il préfère. Il s'installe près du lac en contrebas, seul, et il peint. Tu aimes l'observer dessiner, peindre, sculpter. Parfois tu poses pour lui. Edgar a tellement de talent.

Il fait beau ce matin. Tu descends les marches et arrives dans la grande salle. Maman est déjà là, en pleine préparation du petit déjeuner. Elle te sourit, te demande si tu as bien dormi, t'appelle son petit chaton chaud, comme toujours. Tu lui souris, tu l'embrasses, la serres dans tes bras. C'est votre nouveau rituel du matin. Vous êtes devenues le couple mère-fille le plus tactile du monde. Qui l'aurait cru ?

Tu lui dis que tu vas l'aider, qu'il va y avoir du monde ce matin, qu'il ne faut pas chômer. Elle te répond en riant qu'elle ne t'a pas attendue pour s'y mettre. Tu retrousses tes manches et tu commences à dresser la longue table en bois massif.

Il fait beau ce matin. Hier tu as reçu un mail de Louis, il arrive dans quelques heures. Louis fait des études de médecine. Son séjour à l'hôpital a été un déclic. Il a trouvé sa voie. Par un chemin non conventionnel, certes. Tu aurais préféré un conseiller d'orientation plutôt que plusieurs semaines de coma. Mais le résultat est là : Louis a décidé de devenir pédiatre. En ce moment Louis est en stage à l'hôpital pour enfants de Great Ormond Street, à Londres. Il vit chez Matthew, pour quelques mois. Lorsque ces deux-là se sont rencontrés, cela a été comme une évidence. Matthew t'en a voulu de lui avoir caché l'existence de Louis. Puis la déferlante de bonheur qu'a provoquée ce fils inespéré a pris le dessus.

Il fait beau ce matin. Hier, Louis a rejoint Isadora chez eux, à Paris. Ils arriveront ensemble, par le même train. Lorsqu'ils débarquent, tout le monde pense que ce sont vos enfants, qu'ils sont frère et sœur. Tout le monde n'a pas tort. Ce sont vos enfants. Aussi lorsqu'ils s'embrassent, un long silence parcourt l'assemblée, vous éclatez de rire et expliquez la situation. Vous n'êtes pas une famille comme les autres. *Vous ne l'avez jamais été et ne le serez jamais. Heureusement. Isadora fait encore du foot avec Louis de temps en temps, mais elle a repris depuis neuf ans le chemin des studios de danse. Elle exerce aujourd'hui le métier qu'avaient rêvé pour elle sa mère et sa grand-mère. Elle suit le chemin tracé par ses gènes. Isa et Louis sont resplendissants, les observer est un délice de chaque instant. Tu es tellement fière de l'homme et de la femme qu'ils sont en train de devenir.*

Il fait beau ce matin. D'ici une demi-heure, la grande salle sera envahie d'une vingtaine de personnes. Voilà maintenant huit années, avec l'argent que tu as gagné à l'issue de ta bataille juridique avec Hégémonie, tu as racheté ce grand mas provençal pour lequel Edgar et toi avez eu un coup de foudre. Cette immense propriété que vous avez retapée et transformée en un lieu incroyable. C'est là que tu as décidé de mettre en musique le projet qui avait germé dans ta tête lorsque Louis était dans le coma. C'est là que tu t'es installée il y a de cela sept ans, avec Louis, avec Edgar, avec Isa, et avec ta mère. C'est là que Charlotte s'est installée, un an plus tard. Elle a rejoint le projet, elle aussi.

Il fait beau ce matin. Tu te souviens du jour où tu as exposé ton idée à toute ta petite troupe. Ils ont tout de suite été partants. Ils t'ont tout de suite fait confiance. Ils ont fait confiance à la femme d'affaires que tu es. Ils ont fait confiance à la mère que tu es. Ils ont fait confiance à ton intuition. Des investisseurs t'ont suivie. Eux aussi ont cru en toi.

Il fait beau ce matin. Le soleil est déjà haut, la table est prête. Vos premiers hôtes commencent à descendre de leurs chambres. Il y a là le petit Mathis, entouré de ses parents. Arrivés la veille. Mathis n'a pas de cheveux, pour l'instant. Ils vont repousser très vite. En attendant, il préfère se déguiser. Tu le salues à la manière des Avengers, rentrant dans son jeu de super-héros, il se marre et son sourire remplit ton début de journée. Il y a aussi Alice, présente depuis une semaine avec sa maman. Alice va déjà mieux. Elle trépigne d'impatience car d'ici une heure, elle aura rejoint Edgar au pied du grand olivier pour une séance de sculpture. Elle adore Edgar. Tout le monde l'adore. Qu'il s'agisse d'apprendre à dessiner ou d'effectuer quelques exercices sportifs, Edgar fait l'unanimité. Et puis il y a ton chouchou, ton petit Francesco. Francesco est avec vous depuis presque trois semaines. Ses parents alternent leur présence, car ils sont divorcés. Cette semaine c'est son papa qui est avec lui. Francesco est un clown, qui illumine toute pièce dans laquelle il se trouve. Ils forment un duo imparable avec ta mère. D'ici une heure, Odette et Francesco feront du jardinage, puis de la cuisine. La

Chandeleur est déjà passée, mais ils ont prévu de faire des crêpes, et ta mère lui a promis qu'il pourrait les faire sauter lui-même. Francesco est surexcité.

Il fait beau ce matin. Le mas est rempli. Ta vie est remplie. La plupart du temps tu es ici, dans ce qui est maintenant ton élément. Parfois, tu voyages car tu es sollicitée par des collectivités, des entrepreneurs, en France comme à l'étranger. Ils veulent savoir comment tu as conçu, construit tout cela. Lorsque tu t'absentes, c'est Charlotte qui tient les rênes. Charlotte s'est révélée une excellente gestionnaire, en plus de ses talents d'infirmière qui sont toujours très utiles ici.

Il fait beau ce matin. Tu descends à pied le petit chemin de terre afin de relever le courrier. Sur la boîte aux lettres est inscrit le nom de votre petit paradis : « Les chambres des merveilles ».

Il fait beau ce matin. Tu remontes lentement, prenant le temps de respirer l'air de la campagne provençale, plissant les yeux car le soleil t'éblouit, et les souvenirs affleurent. C'est comme ça tous les matins. Dès que tu vois ces mots écrits en lettres violettes — une couleur choisie par Louis — tu te souviens du lieu où tout a commencé. La chambre des merveilles, la chambre 405 de l'hôpital Robert Debré, qui t'a donné l'idée de cette maison. Là, tu t'es rendu compte de l'importance de la famille, des projets communs, pour tous ces enfants et leurs proches. Tu as compris que le chemin vers la vie était long pour tous ces gosses. Que l'hôpital pouvait éloigner plutôt que rapprocher, alors que vivre de jolies choses pouvait être simple. Voilà pourquoi tu as décidé d'ouvrir cette maison de vacances un peu spéciale. Une maison où les enfants qui viennent de sortir de l'hôpital — ou qui ont une permission de quelques jours — se retrouvent avec leurs parents, leurs familles. Une maison où tout est fait pour qu'ils se sentent chez eux. Où toi tu te sens bien. Tu te sens à ta place. Utile. Enfin.

Il fait beau ce matin. Tu regardes ta montre. Cette même montre qui s'est brisée le jour de l'accident de Louis. Elle aussi a été réparée. Elle aussi est une rescapée. Il est 9 h 40. Tu presses le pas, car bientôt le train de ton fils sera là. Bientôt tu le serreras dans tes bras. Tu lui diras que tu l'aimes, comme toujours. Louis t'a envoyé un SMS hier pour t'indiquer l'horaire du train. La coïncidence est troublante, mais elle te fait sourire. Louis arrive par le train de 10 h 32.

Il fait beau ce matin, Thelma. Profite de ta vie. Profite des tiens. Tu as tout le temps. Prends-le.

Thelma,
Londres,
le 17 février 2017.

REMERCIEMENTS

Un immense merci à mon éditrice, Caroline Lépée. Merci pour ton enthousiasme et ton talent. Merci d'y avoir cru depuis le début.

Merci à Philippe Robinet et à toute l'équipe de Calmann-Lévy. C'est un privilège de travailler avec vous. Mention spéciale pour Patricia Roussel et Julia Balcells : le *kawaii cat* a atterri sur Saturne, grâce à vous.

Merci à Caroline R. pour les conseils. Merci à Florence B. et Renaud M. pour les mémorables (et inspirantes) virées tokyoïtes.

Merci à ma famille pour le soutien indéfectible et les encouragements. À Alexandre et Andréa, mes indispensables *little bros*. À Floriane, Jules et Fanny, mes enthousiastes lecteurs. À mes formidables beaux-parents, André et Raphaèle. À Pierre et Steph. À mon grand-père Pascal : continue de me raconter, c'est précieux. À Sandra, Jeanine et Aimé pour les beaux jours d'hier.

À ma mère et à mon père, bien sûr. Maman, papa, merci pour tout, et pour toujours.

Merci à mes trois amours. Alessandro et Éléonore, je suis tellement fier de vous... mes deux merveilles. Mathilde, tout ça n'aurait aucun sens si tu n'étais pas à mes côtés. À la vie, à la vie.

Composition et mise en pages
Nord Compo à Villeneuve-d'Ascq

Achevé d'imprimer en août 2018
par l'Imprimerie Maury S.A.S. à Millau (12)
pour le compte des éditions Calmann-Lévy
21, rue du Montparnasse 75006 Paris

N° d'éditeur : 13
N° d'imprimeur : G18/58198L
Dépôt légal : août 2018
Imprimé en France.